Daniel Canty

Wigrum

LA PEUPLADE
415, rue Racine Est – suite 201
Chicoutimi (Québec) G7H 1S8 Canada
lapeuplade.com

DISTRIBUTION
Canada : dimedia.com
France : librairieduquebec.fr

La Peuplade reconnaît l'aide du Conseil
des Arts du Canada et de la Société
de développement des entreprises culturelles
(Sodec).

Dépôt légal : 3ᵉ trimestre 2011
Bibliothèque et Archives nationales du Québec, 2011
Bibliothèque et Archives Canada, 2011

ISBN 978-2-923 530-33-8

Daniel Canty

Wigrum

Roman

Avec des dessins
d'Estela López Solís

La Peuplade

1944

UN BUREAU SUR LA LUNE

Chapitre premier

Le cri des bombes s'est calmé. Le brouillard s'installe. Londres reprend ses habitudes. Il est temps de retourner se promener dans la ville irréelle[1].

Sebastian Wigrum considère ses traits dans le miroir du vestibule. Un portrait ovale, qui le suit du regard, comme dans les histoires de fantômes. Certains jours, il sent qu'il devient son propre ancêtre. Qu'il s'est laissé loin derrière, et qu'il ne reconnaîtra plus jamais son vrai visage. Heureusement, le temps, qui a figé un lacis de rides autour de ses orbites et poudré d'un peu de rouge le bout de son nez, a épargné la couleur de ses yeux. Nos regards nous rappellent que nous conservons, quelque part au fond de nous-mêmes, une image véritable de ce que nous croyons être. Qui, vraiment, sait où ?

Wigrum n'est pas si vieux. Il passe la main dans ses cheveux. Ressent le relief de son crâne. Est-ce que les phrénologues peuvent s'empêcher de penser à eux-mêmes quand ils se coiffent ? Sa chevelure, en vieillissant, est devenue de plus en plus diaphane, et de plus en plus folle. Quand il était jeune, son cheveu châtain avait tendance à se décolorer sous l'effet du soleil. L'été, il redevenait blond comme l'enfant qu'il avait été. Ce soir, une image ancienne recouvre l'évidence de son reflet. Il se rappelle cette aube, loin de Londres, où il s'est éveillé pour découvrir, au fond d'un autre miroir, sa tempe gauche rayée de blanc. L'effroi, secouant nos systèmes nerveux, peut remonter jusqu'au bout de nos cheveux, exploser en blancheur. De quoi, au juste, avait-il eu si peur ? Il se souvient seulement qu'il était à bout de nerfs ; que la nuit et ses pensées en elle lui semblaient sans issue. L'hémisphère gauche, paraît-il, préside à nos fonctions rationnelles. Force est de l'avouer : il n'avait, après tout, eu peur que de lui-même. Aujourd'hui l'Angleterre a tremblé. Le regard de Wigrum croise celui de son reflet et il pense : était-ce moi,

1 Time for a walk in the Unreal City.

maintenant, qui regardais mon moi d'alors par les trous du temps, et qui me suis ainsi apeuré ?

Bah ! Sebastian, ne sois pas si dur avec toi-même. Après tout, nul ne sait de quoi est réellement fait le temps. Les raies blanches à ses tempes lui donnent l'allure d'un espion. Les femmes aiment bien ça. Regardons les choses en face. Wigrum détache le regard de son reflet et l'efface. Il se penche, prend son parapluie noir, réapparaît dans la glace, coiffé de son chapeau. Il a fière allure, dans son pardessus couleur de brume.

Au revoir, ancien visage, où que tu sois[2]. Cette nuit encore, Wigrum ira se mêler aux silhouettes ombrageuses qui vont et viennent par le labyrinthe des 10 000 rues. Dehors, des hommes marchent en somnambules, leur pas cliquetant sur le pavé, leurs traits éclairés, obscurcis par le feu, la fumée des cigarettes. Ils se croisent sans un mot, s'abandonnent à leur destin de revenant, entre les îlots de lumière des réverbères, les façades couleur fusain. Vont-ils vraiment quelque part ?

Wigrum est convaincu que les hommes des foules ne cheminent pas sans but. On pourrait prendre n'importe lequel d'entre eux pour le personnage d'un livre. La vraie difficulté est de trouver quelqu'un qui soit capable de l'écrire. *À toi de jouer, Sebastian.* Il détache son regard de son reflet et sort, dans un froissement d'imperméable, un élan de parapluie, fendre le brouillard.

*

Londres, vue des airs, renvoie au ciel une image disjointe. La ville semble une constellation tombée sur terre, un animal lumineux, encore innommé, effondré au pied du firmament, et avide de reprendre la place qu'on lui refuse. Chaque bombe qui tombe allume, momentanément, un nouveau point de lumière au

2 Goodbye, my old face, wherever you may be.

cœur de l'immense nébuleuse qui nappe le sud de l'Angleterre du centre de la capitale aux côtes de Grande-Bretagne. Les batteries antiaériennes répondent à l'assaut en décochant des étoiles filantes. À l'issue du tintamarre et du tumulte, la lumière de Londres n'en est pas moins informe. Les images, dans leur souveraine et impassible beauté, n'ont que faire des souffrances de l'humanité.

Wigrum ne manque jamais de jeter un coup d'œil par la vitrine de la librairie du 42a. Il n'est pas rare que Clara veille, un livre entre les mains, dans une lumière couleur de thé, berçant son insomnie à la lueur des pages. Au fond d'une tasse de porcelaine, des feuilles de menthe nous rappellent à nos destins communs. Il aimerait qu'elle relève son visage au moment exact où lui tourne la tête vers la vitrine, que leurs regards se croisent, et qu'une pensée s'impose à eux comme une évidence.

SEBASTIAN : Que lisez-vous, très chère ?

CLARA : *L'homme qui se cachait entre les lignes*[3].

La rumeur des bombardements n'altère en rien la beauté des femmes. *Assez rêvassé, Sebastian. Ton travail t'attend.* Ce soir encore, personne ne veille derrière la vitrine assombrie. À l'étage, Clara doit dormir seule sous une courtepointe fleurie, dans des draps de soie, des pyjamas de satin, des parfums de vanille... William est encore parti en Amérique du Sud, visiter ses caoutchoutières. Ce n'est pas un mauvais garçon. Les loisirs anglais — les balles de tennis et de golf, les pneus Dunlop, les prophylactiques protestants — ont assuré sa fortune. Il est beau joueur, et qui pourrait nier, quand il apparaît au bras de Clara dans son beau complet de lin blanc, que c'est un homme de goût ? Il sait même porter une tache avec l'élégance d'une rose.

En passant devant chez Clara, Wigrum se souvient immanquablement de cet après-midi d'été,

3 SEBASTIAN: What are you reading, my dear?

CLARA: *The Man Who Hid Between the Lines.*

4 Le *banana blitz* est une variante britannique du *banana split* américain conçue par un fonctionnaire du ministère de l'Information en prévision du Blitz. On a commencé à le servir au début des bombardements, en septembre 1940, dans les cafés proches de Westminster. Il synthétisait en un seul plat toute la splendeur coloniale de l'Empire *où le soleil ne se couche jamais,* et on avait appris aux garçons de café à le servir avec le slogan KEEP CALM AND CARRY ON EATING.

On préparait le *banana blitz* en déposant, au fond d'un plateau d'argent ovale, un lit de pâte phyllo. Puis on disposait en un motif solaire cinq lamelles de bananes en provenance des principales îles du Vent — Grenade, Sainte-Lucie, Saint-Vincent-et-les-Grenadines, La Barbade et Tobago — autour de rondelles de fruits des colonies africaines du Ghana et du Nigeria, principaux fournisseurs bananiers de l'Empire. On déposait sur ce motif une triple bombe glacée à la vanille épaissie de racine d'*Althaea officinalis* amalgamée à un soupçon de gomme d'acacia. Puis on versait sur chaque monticule une cuillérée de marasquin augmentée d'une amandinette de noyaux de cerises concassés. Pour la touche finale, on saupoudrait l'ensemble de trimettes de

juste avant la guerre, chez Conrad's, où il a partagé un *banana blitz*[4] avec William. Lui avait éclaboussé de crème glacée le côté de son cœur. On aurait dit Tobago. Wigrum n'écoute presque plus son ami quand il lui *offre l'avenir.* Il pense à sa lessive, qui doit arriver de Paris aujourd'hui, dans un emballage de papier kraft finement ficelé. Chaque mois, il la confie à Agata, lavandière hongroise qui travaillait comme domestique au manoir où son père a été jardinier. *Il y a le blanc colonial, Sebastian. Et il y a le blanc hongrois.*

Pourrais-tu me passer le sel? (Je devrais demander à Agata, pour cette histoire de saler les taches.) *N'aie pas peur. Nous allons nous occuper de toi.* Qu'est-ce qu'il raconte, encore? Wigrum pousse la salière vers William. Tous les goûts sont dans la nature. *Tu trouves l'amandinette trop sucrée?* William échappe la salière. Se penche pour la ramasser sous la table. Il se relève avec un clin d'œil. *Elle est tombée de ton côté.* Wigrum se penche à son tour. À son pied, qu'une enveloppe de l'aéropostale. Il se relève, la pose devant William. *Si tu permets... Tu as un cheveu blanc.* William passe la main sur l'épaule de Wigrum. Toc! *Regarde-moi ça.* La salière est réapparue sur l'enveloppe. Chaque fois que William prend un objet dans ses mains, on dirait qu'il s'apprête à poser une pièce sur un échiquier. *C'est pour toi. Pour ton travail. Tu ne me dois rien, vraiment.* L'enveloppe, première de celles qu'il découvrira au quinzième jour de chaque mois, glissées dans un livre de sa bibliothèque, la poche d'un veston, le fond d'un tiroir, le revers d'un miroir, sous la théière ou l'oreiller, est bourrée d'argent. Il se demande si William enfile les gants immaculés du majordome ou du voleur et se glisse chez lui dans son beau complet blanc, ou si, pour cacher les enveloppes, il revêt la combinaison noire des cambrioleurs, et devient l'image en négatif de lui-même.

Je t'achète ta liberté, c'est tout. Chaque jour de paye, Wigrum constate qu'un objet de plus manque dans le capharnaüm de l'arrière-boutique, au milieu duquel trône le massif bureau de chêne où son père travaillait avant lui. *Tu devrais mieux prendre soin de tes affaires.* Wigrum se met à consigner, dans le petit carnet noir qui ne le quitte jamais, selon un système de comptabilité à double entrée, les délits de son interlocuteur et leur valeur d'échange. Dans des notes marginales, qui embrouillent la clarté des tableaux comptables, il se demande si William aime ces objets du même amour que lui, s'il respecte *la chose en soi* ou s'il se laisse emporter dans ses actes par son énorme talent pour l'acquisition, ou le simple plaisir du jeu. Nos réelles motivations, bien souvent, nous échappent. Dans les dernières pages du carnet, Wigrum examine les corrélations, les concordances entre les larcins. Il établit des règles, s'applique au jeu de l'autre, spéculant sur ses prochains vols. Il dessine des graphes, ourdit des chronologies, invente un avenir à sa collection. *Le temps est troué, et chaque chose tour à tour creuse de son absence la mémoire du monde*[5]. Wigrum formule un syllogisme indémontrable : *Il existe un point équidistant de toutes les choses que nous avons égarées. Il est possible de le penser, mais impossible de le localiser. C'est la meilleure cachette du monde*[6].

Lorsqu'il lève les yeux de son cahier, il choisit un des objets amoncelés sur les tablettes qui recouvrent les murs de l'arrière-boutique, prend soin de le dessiner, puis s'applique à imaginer une cachette parfaitement assortie à sa nature. Il devient si habile à cet exercice, les dissimulant dans des recoins de plus en plus abscons, de plus en plus exigus, qu'il perd la trace de certaines de ses possessions. Quand, des semaines ou des mois plus tard, Wigrum retrouve un objet qu'il croyait perdu, il en vient à se demander si

cacao et de noix rôties de Babylone dans leur coulis de miel épicé.

La pénurie de bananes qui toucha Londres dès les premiers mois du Blitz entraîna la disparition prématurée du *banana blitz* des menus de la City.

5 Time is riddled with holes, and each thing in turn stamps the memory of the world with its absence.

6 Le syllogisme des objets perdus :
1. There exists a point located at an equal distance from all the things that we have lost.
2. It is possible to conceive of this point, but impossible to localize it.
3. This point, then, is the best hiding place ever.

les vols ont vraiment lieu, ou si ce William cambrioleur n'est qu'un personnage qu'il se serait inventé pour apprendre à vivre avec lui-même. Mais les enveloppes et l'argent qu'elles contiennent sont bien réels, et son salaire augmente avec l'application qu'il déploie à cacher ses trésors.

Il n'y a pas de sot métier, que de sottes obligations, et de sottes maximes. En un lointain après-midi, William, dans son beau complet taché de blanc, a posé une salière comme on joue un premier pion. *À ton tour, Sebastian.* Wigrum insiste pour régler le *banana blitz.* Son ami est beau joueur. Wigrum n'a aucun doute que William reconnaît les sentiments qu'ils partagent. Après tout, il n'est pas homme à bouder un baiser volé. Tant qu'il s'amuse, il ne s'inquiète de rien. *La vie est un tour de passe-passe. Regarde bien. Et hop !* La salière s'évanouit dans la manche de William. Qui peut lui en vouloir ? Oh, Clara.

*

Comment rendre la pareille au monde ? Chaque fois qu'il en a l'occasion, Joseph se présente à la porte de Wigrum. Le petit garçon *cogne le code,* ces douze coups de théâtre que son aîné lui a appris. *Je veux tout apprendre. Je veux lire tous les livres[7].* Voilà ses premières paroles. Ses pupilles minuscules au fond des verres de ses lunettes sont dilatées par un besoin indéniable. Wigrum le croit et l'invite à entrer. À l'école, Joseph n'arrive même plus à lire au tableau. Un docteur lui prescrit d'épaisses lunettes. Il prétend pouvoir aussi facilement réajuster l'image du monde que les antennes d'une radio. Les bombes pleuvent sur Londres. Des immeubles s'effondrent. Des gens meurent. Joseph, lui, a de la difficulté à mesurer la trajectoire d'un ballon.

Ne sois pas triste, petit, à chacun d'entre nous, autre chose échappe[8]. Wigrum lui assure que la myopie

7 I want to know everything. I want to read all the books.

8 Don't be sad, boy, something different slips out of every grasp.

12

encourage à l'abstraction. Les yeux, après tout, sont une excroissance de notre système nerveux. Il demande parfois au petit d'enlever ses lunettes et de décrire ce qu'il voit par le filtre embrouillé qui le retient à infime distance de la réalité. Il pose devant Joseph des objets, lui enjoint d'en donner la mesure. Un œuf ne redevient lui-même qu'une fois cuit, quand il retrouve son parfum. Dans le regard du myope, seul le bruit d'une montre sauve le temps de l'effacement. Les clefs perdent leurs dents ; il faut trouver des serrures molles. Sous la lentille du compte fils apparaissent les atomes cotonneux d'une page vierge. *Il n'en revient qu'à nous de vaincre nos pensées*[9].

À la demande de Wigrum, le petit se poste derrière la vitrine du Midsummer's Antiquarian Bookstore et décrit les passants, l'apparition de l'ombre de Clara, derrière ses rideaux couleur de thé. Quand le soir tombe, la ville se dissout en une féerie embrumée. *Personne n'est plus que lui-même*[10]. Les immeubles vacillent comme des reflets à la surface de l'eau. Des taches, de longues traînées lumineuses flottent à travers la bruine. *L'enfance est si proche du secret de la matière, mais elle l'oublie en grandissant*[11]. Les yeux à demi ouverts, le monde ressemble davantage à ce qu'il pourrait être. *En vieillissant, tu verras le spectre des possibles se refermer à l'horizon. Souviens-t'en*[12].

En échange des images de son regard myope, Wigrum raconte à Joseph le monde et les livres. Il lui prête des ouvrages, lui demande son opinion. *Tu me raconteras, toi aussi, ce que tu as lu*[13]. Un jour de 1944, Wigrum lui dit comment, dans un laboratoire secret de la campagne anglaise, des cerveaux artificiels calculent des *anti-pensées*. Les experts de la science nouvelle soutiennent que tout ce qui arrive est concevable en termes d'information et de contre-information. En Pologne, un pays qui est toujours pris au milieu de nulle part et des conflits

9 It's up to each of us to vanquish our thoughts.

10 Nobody is more than themselves.

11 Childhood's close to the secret of matter, and forgets it by growing up.

12 Growing up, you will see the spectrum of possibilities shrink on the horizon. Remember that.

13 You must tell me, also, of all you have read.

des autres, des savants de la Résistance ont inventé une machine qu'ils ont baptisée *La bombe*. Elle permet de contrôler l'explosion de l'information, de s'infiltrer, en douce, derrière le rideau de fer de la conscience de l'ennemi, pour la retourner contre elle-même. Les Américains ont construit des calculateurs grands comme des immeubles, des géants à tête de linotte, qui pensent en rond, en comptant jusqu'à dix, et qui perdent le fil de leur raisonnement aussi facilement qu'on éteint une ampoule. Notre avenir ressemble un peu à ces machines, en plus lointain, en plus petit. Elles penseront avec nous, de plus en plus vite, et de plus en plus souvent. Leurs inventeurs n'en savent peut-être rien, mais ils ont déclaré une guerre au temps et à la pensée. Puisque nous ne sommes rien d'autre que nous-mêmes, cette guerre est perdue d'avance.

Joseph, qui n'y pige pas grand-chose, s'invente ses propres histoires à partir de celles que Wigrum lui raconte. Il n'en reste que des images, des fragments, avec lesquels il compose en silence, derrière le rempart de sa myopie. Elles auront beau changer, s'altérer sous l'effet du temps, elles ne s'effaceront plus de sa mémoire. *Quand les hommes du futur voudront te rendre ton regard, tu refuseras*[14]. Wigrum continue son conte. Des machines semblables à celles qui, à Berlin, calculent la trajectoire des bombes compilent, dans un manoir d'Angleterre, les tables qui permettent de contrer les tirs ennemis. Elles ressemblent aux cerveaux de Pologne. Mais rien n'est exactement ce qu'il semble être. L'ennemi possède des appareils cryptographiques, aux allures d'étranges machines à écrire, qui traduisent l'allemand en un langage codé. Nos machines retraduisent l'allemand codé en anglais décodé. Les machines sont jumelles. Nous sommes humains. Ne l'oublie pas. Ni elles, ni même le langage, ne fournissent d'exactes équivalences de

[14] When men from the future offer to give you back your gaze, refuse it.

14

nos âmes. Les machines peuvent bien s'épuiser en calculs. Nous devons couper court et décider. *Tu ne sauras pas tout. Tu ne liras pas tous les livres. Mais tu comprendras plus tard. Ce sont les images qui nous sauvent de tout savoir, mon cher collègue*[15].

Dans l'enfance, Wigrum rêvait, encore et encore, qu'il tombait sans heurt de la lune jusqu'à son village natal. Il rebondissait sur les fils électriques, remontait dans le firmament, la tête tournée vers les étoiles. Ses bonds, hélas, décrivaient des arcs de plus en plus courts, et il devait enfin se résoudre à retomber les deux pieds sur terre, et à tranquillement remonter le chemin jusqu'à sa porte. Il remarquait alors qu'il portait encore son pyjama. Attentif à ne pas troubler le sommeil de son père, il ouvrait délicatement la porte pour retourner à sa place, dans son lit. La nuit ravalait la maison en elle, le rêve prenait fin, et il s'éveillait dans sa chambre.

Ce soir, la lune de Londres est invisible. Mais là où tombent les bombes, la ville commence à ressembler à l'idée que Wigrum se fait de l'astre voisin. Les explosions constellent la ville de cratères. Elles ouvrent des avenues innommées à travers le réseau des rues, où les façades effondrées, révélant l'intérieur des maisons et des commerces, les squelettes de la tuyauterie et du filage, semblent aussi précaires que des décors. Ce soir encore, il chemine vers un de ces théâtres éventrés.

À ce stade du conflit, la politesse stratégique du Blitz, qui ne visait que les installations militaires, n'est plus de mise. Les Allemands ont perfectionné de nouveaux missiles, des engins supersoniques, compacts, que des troupes d'artilleurs mobiles lancent sur Londres depuis les forêts du front. Le commandement central leur a donné un nom enfantin et terrible, *Vergeltungswaffe,* l'arme de vengeance, comme un écho à mille films de série B futurs. Ces

15 You will not know everything. You will not read all the books. But you will understand later. It is our images that save us from having to know everything, my dear colleague.

missiles piquent du nez sur Londres à l'issue de vols suborbitaux. Un jour, on appliquera les mêmes principes pour rejoindre la lune, les planètes proches, pour se rendre plus loin encore. Mais, pour l'instant, l'effort de guerre a mobilisé jusqu'aux rêves des petits garçons, et le docteur Goddard peut continuer de s'ennuyer des appels de son ami Wernher.

Wigrum émerge parmi la foule qui s'est massée au pied des décombres. L'objectif semble absurde. La causeuse de madame Smith peut-elle représenter une cible stratégique ? Quand les badauds se seront dispersés, que les sauveteurs et les experts balistiques auront quitté le théâtre de la destruction, et qu'un convoi militaire aura emporté avec lui l'épave démembrée du missile, rendue incompréhensible par la violence de l'impact, Wigrum sera de ceux qui resteront derrière. Pour l'instant, il se tient au seuil du cratère, dans l'imperméable, le chapeau de l'homme des foules. Peu importe les apparences, chacun entretient ses pensées privées. Lui croit que les objets peuvent tour à tour s'éveiller de leur sommeil, nous révéler leur identité véritable, et nous renvoyer des reflets révélateurs. Il est convaincu que la fusée allemande est tombée de l'avenir trop tôt pour y retourner, qu'elle est une des premières salves de cette guerre, plus grande encore que le monde, que l'humanité a entamée contre le temps.

Bientôt, lui aussi s'avancera vers les façades effondrées. Des éplorés pleureront leurs disparus en creusant désespérément les décombres. Des infortunés tamiseront les gravats à la recherche de trésors enfouis. Des enfants entreront en scène, à la recherche de n'importe quelle histoire. Ceux d'entre eux qui ont assez d'imagination repartiront les poches pleines de cailloux, de bouts de métal, d'éclats de faïence. Ils diront à leurs amis *ce que c'est*, et les choses se transformeront dans leur regard.

Dans un recoin caché d'eux-mêmes, même ceux qui se déclareront incrédules y croiront. Wigrum sait qu'il ne demeure parfois, d'une histoire aimée, que quelques phrases, qu'une image, une impression. À partir de ce qui reste, peut-on reconstruire tout un monde, la vie d'un homme? L'allusion est inévitable. Et elle nous sauve d'avoir à assumer le poids entier de notre présence. *Pour retrouver le fil d'une histoire, ne retenir que ce qui en demeure, et inventer tout le reste*[16].

16 To pick up the thread of a story, retain only what's left of it, and invent the rest.

Aujourd'hui, Wigrum trouve une cuillère à thé coincée entre les cailloux. Un souvenir ramené de Prague, avant la guerre, comme en témoigne la réplique en relief du château sur son manche d'argent tordu, avec la mention «1938». Il la glisse dans une des poches de son pardessus. Sur le chemin du retour, il en imaginera le parcours. Des soirs comme celui-là, Wigrum rentre écrire jusqu'à l'aube. Il s'endort à son bureau de chêne. Et il refait chaque fois le même rêve, qu'il oublie en s'éveillant. Le voilà installé au même bureau, mais travaillant à la lumière des étoiles, sous l'immense dôme transparent qui recouvre la mer de la Tranquillité. La «Cuillère de Prague» est posée devant lui. Elle lui renvoie un reflet déformé, dont les lèvres bougent, marmonnent des paroles incompréhensibles. Wigrum tente de lire sur ses propres lèvres, de transcrire ses propos dans son petit carnet noir.

Il arrête d'écrire, consulte la montre de gousset que son père lui a laissée en héritage. C'est l'heure du thé sur terre. Il se demande si Clara est seule, si Joseph cogne à sa porte, ou si William se glisse en catimini dans l'arrière-boutique. Il lève la tête vers le ciel. La nébuleuse de Londres approche à toute vitesse. Des foules, perchées sur les décombres, tournent la tête, lèvent les bras. Une fusée habillée d'un échiquier noir et blanc trace un arc-en-ciel iridescent à travers la brume. Bientôt, la lumière de la ville irréelle éclatera autour d'elle. À bord, un homme articule un cri. La lumière contracte ses pupilles. Ses cheveux blanchissent à vue d'œil. Il tombe vers la terre et il sait ce que sauront les hommes de l'avenir. Pour survivre à la guerre du temps, il n'y a qu'un moyen : partir, se laisser loin derrière, pour s'effacer parmi les images.

Quand viendra l'aube, Wigrum ne sera plus là. Mais tant que les objets continueront de parler à sa place, il aura la certitude d'être vivant.

Joseph Stepniac

SEBASTIAN WIGRUM, COLLECTIONNEUR ORDINAIRE

Préface

Sebastian Wigrum collectionnait, et collectionne peut-être encore — nul ne sachant véritablement où il est cette fois encore disparu —, des objets ayant appartenu à ceux qu'il qualifiait de « saints patrons d'un monde sans Dieu ». Beaucoup de ceux-là, bien sûr, comptent au nombre des artistes, des penseurs, des inventeurs ou d'autres illustres personnages, qui par leurs gestes ou leur caractère ont marqué l'histoire universelle, tandis que d'autres, plus discrets, sont tirés de la galerie infinie des inconnus qui poursuivent leur idée fixe dans les recoins cachés du monde. Wigrum, malgré toutes les réserves qu'il formulait à cet égard, n'était pas homme à reculer devant l'ordinaire.

Si on l'en croit, les objets qui composent sa collection ont ceci de particulier qu'ils n'ont « rien de particulier sinon l'*aura* que leur confère leur récit ». Ces objets permettraient d'assister à la « naissance naturelle des idées sous l'influence de la matière inanimée ». Ils sont « les gages d'une disparition : celle des conditions initiales de l'invention, et de l'émerveillement devant l'anodin, la banalité, le lieu commun, devant le terne, le désespérant, l'insurmontable, l'inénarrable enchaînement du quotidien[1] ».

Bien qu'il soit facile, pour plusieurs d'entre nous, de remettre en question la réalité de cette *aura*[2], il est beaucoup plus difficile de nier l'importance du travail d'acquisition des artefacts. Les voyages constants du collectionneur ont été amplement documentés[3], et on sait qu'il s'était constitué un vaste réseau de fournisseurs à Londres et en Grande-Bretagne surtout, mais aussi en Europe continentale, en Amérique du Nord, dans le bloc communiste et jusqu'au Japon. La question reste ouverte, à savoir : ces nombreux *agents* appartenaient-ils à une sorte de société secrète rassemblant des chercheurs excentriques partageant une passion commune, constituaient-ils

1 Les citations sont extraites de Sebastian Wigrum, *On the Souvenir as Art Object*, Oxford, Evensham Press, 1939. Ces fragments de l'ouvrage aujourd'hui introuvable ont été assemblés à partir de rares recensions critiques et de la correspondance d'historiens de l'art de l'époque.

2 Voir par exemple M. Duchamp et autres, *Questions posées à l'ordinaire*, Paris, Éditions Blanche, 1941.

3 Voir Joseph Stepniac et autres, *A Geographic Companion to the Peregrinations of Sebastian Wigrum, Ordinary Collector, Illustrated by Numerous Maps & Figures*, Oxford, Evensham Press, 1980.

un regroupement d'escrocs et de menteurs qui se jouaient avaricieusement de Wigrum, ou étaient-ils des figures notionnelles ; simples prête-noms ou *alter ego* du « collectionneur ordinaire » ? Wigrum s'était donné ce titre, qui figurait en lettres cursives dorées sur sa carte de visite et qu'il était à vrai dire le seul à employer. La collection de Wigrum n'a, après tout, pas grand chose d'ordinaire. Elle constitue un inépuisable compendium d'histoires à proprement parler extraordinaires, ou du moins *incroyables.*

Son travail constitue en cela un témoignage exemplaire de l'histoire et de l'héritage secrets de notre époque. Cela dit, les objets de la collection n'ont jamais été très populaires auprès des amateurs d'art. Le scepticisme de ceux-ci a tendance à s'ajuster à la valeur marchande, patente ou symbolique des objets qu'ils considèrent. La parenté de l'œuvre de Wigrum avec de la brocante, ou le bric-à-brac que n'importe lequel d'entre nous accumule sans trop savoir pourquoi au grenier d'une vie, la rend suspecte à plus d'un égard. Qu'à cela ne tienne : la collection, peu importe l'étiquette dont on l'affuble, est d'une réalité aussi tangible que le bois de la table où j'écris ces mots.

Au risque de contredire le sobriquet de Wigrum, force nous est de reconnaître qu'en prêtant foi aux histoires inouïes dont les objets de la collection sont les hôtes, nous affirmons notre faculté d'en raviver l'*aura.* La collection emprunte sa mystérieuse lumière à nos existences communes, et son art nous appartient en propre.

*

Sebastian Wigrum est né Sebastyén Wigrum dans le village de Hory, au sud de la Hongrie, à proximité de la frontière croate, en 1899. Son père, Emerik Sebastyén Wigrum, est artiste. Il meurt en 1916 d'une balle perdue, alors qu'il peint sur la carlingue d'un bombardier destiné au front une femme volup-tueuse. Il ne nous reste de cet ouvrage que la moitié gauche. Le nom Klára appparaît en capsule sous la demi-silhouette à la tignasse bouclée et provocante, qu'on suppose calquée sur la mère inconnue du jeune Sebastian[4].

Après la mort du père, l'orphelin voyage avec une troupe de théâtre ambulante, qui travaille sous l'appellation francophile des Faussaires. Dans les comédies carnavalesques que présente la troupe, il joue les rôles secondaires : « serviteurs, animaux, enfants, femmes, fantômes, objets et autres vic-times[5] ». Le leader de la troupe, Ursin Bién, un Rom né en Alsace, sert de figure paternelle et de maître à penser au jeune endeuillé. Cette famille reconstituée ne dure qu'un temps. Après l'incendie d'une église de la bourgade d'Esterházy où la troupe s'est produite le 30 avril 1919, monsieur Bién est appréhendé pour « incendie criminel et paganisme ». Selon le rapport de police, il « dansait près de l'autel, sous le toit en flammes de l'église, récitant un poème orientaliste d'un auteur anglais décadent[6] ». Arseny Vishnyakova, le bedeau russe qui lui a sauvé la vie, rapporte égale-ment qu'il répétait le nom Klára avant de s'évanouir au pied de l'autel, laissant tomber de sa main droite un orbe de verre perdu dans l'incendie. Vishnyakova soutient que ce globe abritait une de ces cités minia-tures qui font la joie des touristes, une ville ombra-geuse où la coupole de St. Paul's, à Londres, côtoyait, incongrûment, la silhouette du château de Prague.

Le 30 octobre 1919, monsieur Bién s'évade de prison à la faveur d'un spectacle de magie organisé pour souligner le centième anniversaire de l'institu-tion carcérale. La troupe, qui poursuivait ses activités en l'absence de son metteur en scène, est dissoute par les autorités. On retrouve Sebastian voyageant

4 On retrouvera d'ailleurs dans les affaires de Wigrum de nombreuses esquisses et études évoquant la figure apparaissant sur le blindé. Curieusement, Wigrum dessinait toujours le côté gauche de la femme, puis abandonnait l'ouvrage, signant « Sisyphe, ton fils ».

5 Lettre de Wigrum à Ursin Bién, en date du 1er novembre 1919 (don de la poste restante de Prague).

6 On suppose qu'il s'agit du *Kubla Khan* de Samuel Taylor Coleridge.

à travers l'Europe orientale avec une actrice de la compagnie, Clara Anschel, qui partage le prénom prédestiné. Anschel manifeste d'abord peu d'intérêt pour le jeune homme, qui s'accroche désespérément à elle. Le couple vit de larcins et de performances improvisées, au symbolisme abstrus, où la Passion du Christ s'entremêle à la trame de contes yiddish. Les délits attribués à Wigrum et à sa compagne de fortune à travers l'Europe sont mineurs : il se fait arrêter à trois reprises pour avoir embrassé des tableaux et des sculptures, et deux fois encore pour avoir dérobé des ouvrages littéraires qu'il « remettait » à d'*autres* bibliothèques que celles auxquelles ils appartenaient, alléguant « la libre circulation du savoir, pour le bien public[7] ».

Anschel, à l'issue bâclée d'un prétendu pacte de double suicide, disparaît en 1923. Elle mourra dans une escarmouche à la frontière basque. La même année, Wigrum se retrouve en prison à Ibiza, ayant tenté, poussé par la faim, de subtiliser les canapés préparés en prévision d'un vernissage dans une galerie d'art. En prison, il fait la connaissance de William Despond, le « millionnaire cleptomane[8] » qui financera certaines de ses activités futures. Despond avait été arrêté pour avoir voulu reprendre l'argent dont il venait de faire don en espèces, la journée même, à l'hôtel des Invalides de Paris.

*

Wigrum occupe, aux frais de divers bienfaiteurs, le 41a, Regent's Lane, à Londres, de 1924 jusqu'au moment de sa disparition en octobre 1944[9], sous les feux des missiles V2. Il y revend « de l'art et des curiosités ». Les historiens se souviennent de Wigrum surtout pour son essai, *On the Souvenir as Art Object* (*Du souvenir comme objet d'art*), dont 451 exemplaires furent publiés par Evensham Press

---

[7] Lettre à Bién, *op. cit.*

[8] *Ibid.* On trouve de multiples mentions de ce personnage dans la littérature wigrumienne. Certains critiques sont même allés jusqu'à suggérer que ce millionnaire incarnait l'idée wigrumienne de la divinité et, partant, du destin (voir J. Stepniac, *Peregrinations of the Hidden Soul: Sebastian Wigrum and the Fortunate Idea of God*, Oxford, Evensham Press, 1972).

[9] C'est mademoiselle Geraldine Pushpenny, secrétaire du psychologue Aloysius Tattertale, dont les bureaux se situent au 39, Regent's Lane, à Londres, qui vit Sebastian Wigrum pour la dernière fois. Vers midi, alors que mademoiselle Pushpenny déballait son déjeuner, composé d'un sandwich jambon-fromage, d'une limonade en bouteille et d'une pomme, Wigrum entra en trombe dans le bureau de monsieur Tattertale, demandant à le voir immédiatement. Mademoiselle Pushpenny, après avoir tenté en vain de le calmer, accepta finalement de déranger le docteur, qui apparemment somnolait. Au retour de mademoiselle Pushpenny, Wigrum était parti. Il lui avait de toute évidence ravi sa pomme.

à Oxford en 1939. Ils s'entendent aujourd'hui pour dire que l'auteur acheta lui-même la quasi-totalité des exemplaires afin de les détruire[10]. La Bodleian Library a eu en sa possession une copie de l'ouvrage jusqu'au 29 octobre 1944. Ce jour-là, un certain monsieur Leroy Stein l'emprunte. La monographie et monsieur Stein demeurent à ce jour introuvables.

Nous en arrivons maintenant aux événements qui ont stimulé l'écriture de ce texte. Une équipe de rénovation à la solde de la firme immobilière Bridgewater & Sons[11] a découvert, il y a quelques mois, une collection inédite dans le grenier du Midsummer's Antiquarian Bookstore, situé au 41b, Regent's Lane, à Londres. La *Collection du miroir* comprend quatorze objets accompagnés de cartons descriptifs. Le grenier, détruit durant les bombardements, puis reconstruit à la fin du conflit, cachait une chambre dérobée derrière un miroir mural, lui-même à demi dissimulé par une bibliothèque contenant l'édition de 1941 de l'*Encyclopædia Britannica*. Le tome des w, qui, permettons-nous de le noter, aurait pu contenir les entrées « War » ou « Wigrum », était manquant.

Un grand coffre de chêne était dissimulé derrière le miroir. Les initiales LJS sont gravées sur la serrure du coffre et son couvercle est orné d'un motif sur cuivre de la carte de *L'île au trésor* dessinée par Robert Louis Stevenson. Ces cartons sont de la taille et de la texture des fiches utilisées à la Bodleian Library. Les pluies londoniennes s'écoulant par les brèches du toit les ont malheureusement endommagés. D'un côté figurent de brefs récits rédigés dans une calligraphie noueuse et minuscule, et de l'autre, des croquis des objets réalisés à l'encre, légèrement distorsionnés par l'eau. Ce mélange fortuit d'encre et de pluie donne aux dessins une apparence qu'on pourrait qualifier de brumeuse, comme s'ils nous apparaissaient depuis quelque fantomatique annexe

10 Voir l'annexe à J. Stepniac et J. S. Stepniac, *Codename Wigrum: Facts and Figures in Honour of an Ordinary Genius*, Oxford, Evensham Press, 1942. En 1939, les livres comptables d'Evensham Press indiquent cinquante et une ventes de *Du souvenir comme objet d'art*. Nous avons pu retrouver la plupart des acheteurs, qui ont tous « égaré » l'essai. À ce sujet, citons seulement le récit, typique, du docteur Jonathan Ebenezer Humphal, du département d'anthropologie de l'Université de Londres :

Un homme tout de noir vêtu apparut dans mon bureau. Il arborait une moustache comme celle du camarade Staline et de petites lunettes noires. Il fumait rageusement. Je ne me souviens pas de son visage, seulement de la fumée des cigarettes qu'il allumait l'une après l'autre et qui obscurcissait ses traits. *Il portait un masque de fumée!* Il se présenta comme étant un de mes admirateurs. Je me souviens, il avait une voix très grave, qui ne collait pas avec le personnage. Malgré son pardessus, on voyait qu'il était plutôt maigrichon. Il prétendait s'intéresser aux relations anthropoïdes-mammouths et sortit aussitôt de son manteau une copie de mon dernier ouvrage, qu'il me demanda de dédicacer à lui

de la réalité. Sur chacun des cartons sont inscrites en filigrane les initiales sw, esq. Certains des textes suggèrent que Wigrum poursuivit ses activités après 1944, et qu'il revint périodiquement à Regent's Lane pour y entreposer ses nouvelles découvertes.

Nous vous présentons enfin ici cette collection d'une importance capitale pour la suite des études wigrumiennes, et pour tous ceux qu'intéresse la vie des créateurs à qui, selon le mot de Wigrum, « on doit tout pour n'être les inventeurs de rien[12] ».

Il faut enfin noter la présence, au milieu des cartons de la collection, d'une anomalie. Un bristol d'un orangé criard, de même taille que les fiches, présente le dessin au fusain d'un missile balistique en chute libre sur la silhouette des toits de Londres, dominée par le dôme de St. Paul's. On peut y lire cette cryptique note d'adieu : « Le ciel trop grand m'avale. Ses sifflements donnent le signal de départ pour la course ultime. Je fuis de l'autre côté du miroir avant qu'il ne soit fracassé. » Où que soit passé Wigrum, je lui souhaite bonne chance.

— Joseph Stepniac
   Genève et Prague, 1989

et à sa fille, qui souffrait d'ostéoporose. Vous comprendrez que ça ne m'arrive pas tous les jours, et j'ai voulu bien réfléchir à ce que j'allais écrire. Pensif, je tourne le dos à ma bibliothèque, et je regarde par la fenêtre, par-dessus les toits, face au bleu du ciel. (Ma secrétaire me dit que je scrute le regard de Dieu, mais ma femme trouve cette idée ridicule.) Toujours est-il que, quand je me retourne pour lui redonner le livre, il n'est plus là, ce monsieur. Sur le bureau, il y avait une note : « Merci beaucoup, mais j'ai dû partir. Je reviendrai. » Vous ne me croirez pas, mais ce livre-là non plus, je n'arrive pas à le retrouver !

11 Notons que Bridgewater & Sons fait partie d'un holding de William Despond, dirigé par son neveu par alliance.

12 Lettre à Bién, *op. cit.*

INSTRUCTIONS AU LECTEUR

La collection présente, en ordre alphabétique, l'ensemble des objets liés à la pratique du « collectionneur ordinaire ». Ils appartiennent en fait à trois ensembles distincts.

La *Collection du miroir* évoquée dans la préface de Joseph Stepniac comprend quatorze objets. Découverte en 1986 au 41a, Regent's Lane, à Londres, elle est attribuée sans équivoque à Sebastian Wigrum.

Les artefacts dont la nomenclature est accompagnée d'une date font partie de la *Collection de Prague*. Leurs descriptions pourraient être de la main, métaphorique ou humaine, de Joseph Stepniac, premier spécialiste de l'œuvre wigrumienne, qui se serait vainement appliqué à en pasticher la manière.

Les autres objets composent les *Extraits de patience*. Cette appellation gracieuse est peut-être l'invention de Klára (ou Clara). Son nom hante ce livre et elle serait aussi l'auteure de l'entrée « Page vierge », récit trouvé sur une carte postale représentant le mont Rainier, dans l'État de Washington, l'hiver.

Les lecteurs qui désirent approfondir leur consultation de la collection sont invités à lire la postface et l'apostille de Daniel Canty qui figurent à sa suite. Ceux qui souhaitent désenchevêtrer les fils de la fiction et des faits pourront également se pencher sur *L'inventaire de la succession*, index établi par Leroy Stein qu'on retrouve à la fin de ce volume.

— LES ÉDITEURS

Extraits de patience

Correspondace personnelle

Collection de Prague

COLLECTION

Adieu d'Imeldina

Extraits de patience

On ne connaît le regard de l'actrice Imeldina Dulce qu'en noir et blanc, mais ses yeux, selon la chronique de l'époque — « le baume de leur bleu, leur langueur méditerranéenne[1] » —, s'accordaient à la douce couleur de cette écharpe de soie. Les jours d'été, elle aimait la porter en guise de châle, lors de longues et bucoliques balades où elle se faisait conduire en décapotable ou en motocyclette par des admirateurs énamourés ou des séducteurs bassement intéressés.

L'écharpe était nouée à sa chevelure ce 20 juin 1921 où, confortablement installée dans le side-car de la motocyclette de Juan Islas, elle voyageait autour de l'île de Malte. Elle jetait, à des intervalles savamment mesurés, des regards mystérieux aux lointains horizons d'Afrique, ou s'esclaffait avec charme à un mot d'esprit de son compagnon. Islas, obscur acteur de l'époque du muet, avec ses traits hispaniques, sa chevelure de jais et sa moustache extravagamment cirée, se spécialisait dans les rôles de cheiks et de pachas. Contrairement à la plupart de ses collègues, qui acceptaient ces seconds rôles en échange de la proximité des starlettes, Islas, bien qu'il en eût l'allure, n'avait pas la réputation d'être un coureur de jupons.

Les deux acteurs venaient de terminer le tournage d'un film de la MGM, *So the Wind Won't Carry Us All Away*, un mélodrame dont aucune copie n'est parvenue jusqu'à nous. On n'en connaît que quelques photogrammes, où une ballerine dialogue avec une armure, parce que le collagiste américain Joseph Cornell les a incorporés à un de ses films de montage.

La moto longeait les falaises exposées de l'île. Dans un tournant en épingle, le foulard d'Imeldina fut emporté par un coup de vent. Ils s'arrêtèrent au

1 Her azure eyes, with their soothing blueness, their Mediterranean languor. *The Baltimore Sun*, 12 juin 1921.

2 Now how am I to keep from getting cold?

3 Un seul fragment du dialogue de *Blue River* a été sauvé de l'oubli par un correspondant du *Delhi Times*, qui couvrait le tournage de ce « western indien » sur les rives du Gange. L'échange sibyllin rappelle le fleuve temporel d'Héraclite, où on ne se mouille pas deux fois, et cette relativité du regard qui a tant coûté au cœur d'Islas.

ELMA : This river was never blue.

JOHN : It all depends which way you look at it.

They kiss.

D'éventuels sous-titres français pourraient se lire comme suit :

ELMA : Cette rivière ne fut jamais bleue.

JOHN : Tout dépend de votre façon de voir.

Ils s'embrassent.

4 We loved her because she was able to create and violate intimacy with the same gesture. The cruelty of that moment is equalled by its beauty. Yet it was only another insignificant chapter in a life lived as though it

5 La dernière apparition d'Islas à l'écran remonte à 1938. Il tenait, dans *Dark Harbor*, un film de propagande britannique, le rôle du capitaine d'un navire espion. Alors que le vaisseau s'apprête à sombrer, traîtreusement transpercé par les torpilles d'un *U-boat*, il prononce, avec une voix rompue de chagrin, ces paroles ultimes, qui ne sont pas sans rappeler l'épisode de Malte : « Cette nuit touchera terre sans nous. » (*This night will touch shore without us.*)

milieu de la route pour contempler son envol, le foulard bleu s'estompant doucement dans l'azur. Imeldina se retourna alors vers l'acteur, qui la courtisait depuis le début du tournage, et lui demanda, en le fixant de ses yeux bleus : « Maintenant, que ferai-je pour me garder du froid[2] ? » Il faisait 32 degrés à l'ombre et il ne sut que répondre. Elle ferma les yeux, du fond du side-car, et approcha ses lèvres des siennes. Il se pencha vers elle pour l'embrasser chastement. Leurs lèvres s'effleurèrent, puis ils rentrèrent sans un mot à l'hôtel, leur silence maladroit enveloppé par le ronronnement du moteur. Au pas de la porte, il invita Imeldina à le rejoindre dans sa chambre si tel était son désir. Elle ne le fit pas et quitta Malte à l'aube. Ils ne se revirent jamais.

Dans une lettre à Nelly Bloom, une régisseuse de plateau irlandaise qui était devenue sa confidente pendant le tournage de *Blue River*[3], Islas écrit :

Nous l'aimions parce qu'elle était capable de créer et de violer l'intimité en un seul geste. La cruauté de ce moment n'a d'égale que sa beauté. Mais ce n'était qu'un infime instant dans une vie vécue comme si c'était du cinéma. J'aurais dû reconnaître la sagesse de l'écharpe, et ne pas donner tant de poids à son geste. J'ai aujourd'hui compris que ce n'est ni la vie d'Imeldina ni même sa beauté qui motivaient vraiment notre désir, mais bien plutôt leurs promesses. Et les promesses, comme le proverbe l'affirme, sont légères comme le vent, et aussi immatérielles que les images. Je ne peux qu'espérer que vous saurez aussi m'en pardonner[4].

L'étoile de Dulce s'estomperait peu après l'envol de son foulard bleu, la MGM mettant fin à son contrat à vie après l'insuccès de *So the Wind Won't Carry Us All Away*[5]. Pour ceux qui n'ont jamais vraiment connu

Imeldina Dulce, elle n'est plus qu'une ballerine qui danse autour d'une armure, qu'une jeune femme qui nous renvoie un regard mélancolique du fond d'une photo d'époque. Nous pouvons nous consoler avec Islas. Dans la scène finale d'un film invisible, il aura prêté ses lèvres à l'humble baiser d'adieu à la célébrité d'Imeldina et réchauffé de son amour sans issue une femme qui avait toujours froid.

Allumettes millénaristes
Collection du miroir

Vers la fin du 19ᵉ siècle, le pasteur Jonathan Soode, défroqué de l'Église anglicane pour cause de « sermons horrifiques[1] », fonda la Religion du Feu Sacré[2], dont il demeura l'unique ouaille, officiellement du moins, puisqu'on soupçonne sa bonne, Martha Puddingsworth, d'y avoir adhéré secrètement. En 1899, il publia un tract millénariste, *Le palimpseste du buisson ardent*[3], qu'il distribua l'année durant sur Regent's Lane, à Londres. Dans cet ouvrage, monsieur Soode déclare avoir vu « l'avenir révélé à Moïse à travers les pages de bibles calcinées et prémonitoires[4]. »

Soode disparut le 1ᵉʳ janvier 1900. Les 451 copies existantes du *Palimpseste* ont probablement été victimes d'un autodafé criminel. Alertée par la fumée s'échappant de sous la porte du pasteur, Martha Puddingsworth se précipita dans la chambre de son patron, où elle vit des pages enflammées portées par le vent disparaître par la fenêtre ouverte. Mademoiselle Puddingsworth ramassa ces allumettes Lucifer sur le sol de la chambre, parmi les cendres des tracts. Le lit était défait et les vêtements du pasteur gisaient empilés sur une chaise.

Le bedeau de l'église de Regent's Lane où officiait autrefois Soode retrouva le seul fragment

1 His horrific sermonizing.

2 The Religion of the Sacred Fire.

3 *The Palimpsest of the Burning Bush*

4 The future as revealed to Moses in the pages of premonitory, burnt Bibles.

5 The shades of a flameless fire falling as ashes at my feet.

survivant de l'ouvrage en lambeaux entre les griffes d'un corbeau mort dans le clocher. Nous connaissons aujourd'hui cette seule phrase du *Palimpseste* : « Les ombres d'un feu sans flammes tombent comme des cendres à mes pieds[5]. »

Archétype stradivarien
Collection du miroir

Ce piment fut trouvé dans l'atelier d'Antonio Stradivari, suspendu au-dessus de l'établi du luthier par une ficelle. On pouvait lire ceci, gravé au couteau à même le bois de la surface de travail, parmi un fouillis de signes et d'entailles : « Le jus d'un piment[1]. » C'est l'unique élément déchiffrable de ce que la plupart des experts considèrent comme une recette, probablement la formule perdue du vernis de Stradivari. On s'accorde pour dire qu'il s'agit d'un des agents principaux de l'acoustique parfaite des instruments de l'artisan.

1 Succo di un pimento.

Les techniques de datation ont permis d'établir que Stradivari lui-même aurait consommé ce piment vers 1684. Cette année-là, le luthier commence à s'éloigner des apprentissages de son maître, Niccolò Amati, et à développer des techniques inédites. Force nous est d'avouer que la courbe du col de ses premiers instruments ressemble fort à celle de ce piment archétypal.

Arme du destin
Collection du miroir

Cette pierre était en la possession d'un pasteur baptiste de la ville canadienne de Peterborough, dans la province d'Ontario. On l'a retrouvée dans la bouche d'un suicidé possible, monsieur Staunton, noyé dans son automobile au fond du lac Minnewebake.

Le pasteur a choisi de garder l'anonymat. À l'hiver 1907, sa femme, appelons-la Mary, reçut à la nuque une balle de neige contenant cette pierre. Apparemment, son mari et elle s'étaient retrouvés au beau milieu d'une bataille d'enfants.

Peu après, Mary abandonna le comportement qui l'avait fait reconnaître comme un modèle de vertu. Certains des citoyens de la ville — particulièrement les hommes — en firent une icône, voyant en elle une sainte ou une sorcière.

Le lanceur de cette pierre, que son impact soit responsable ou non du changement de personnalité radical de Mary, demeure inconnu.

Atout de cœur, 1974
Collection de Prague

Cette carte à jouer, qui était logée entre les planches vermoulues d'un quai d'Atlantic City, a été l'atout majeur du légendaire croupier Brilliantine Billy, du Three Hearts Casino. Ses admirateurs disaient de lui qu'il était le plus habile des entremetteurs. Ceux qui le détestaient le traitaient de voyeur et de frimeur.

1 The heart is a riderless steed. It's up to us to trick it out of its wildness.

2 Can't trick the heart.

« Le cœur est un cheval sans cavalier. À nous de ruser pour le guérir de sa sauvagerie[1]. » Billy, avec son bouc grisonnant, avait de ces formules faussement sages. Il dissimulait cet as de cœur, orné d'un mustang ruant en plein champ, dans la poche intérieure de son smoking à motifs western. Épiant le trafic des regards autour de la table de black-jack, il savait reconnaître, dans les coups d'œil des joueurs, une étincelle érotique. Le jeune homme ou la jeune femme qui se retrouvait avec cet as de cœur surnuméraire en main l'empochait aussitôt et se mettait, le plus souvent, à mal jouer, imaginant la nuit à venir.

La table de Billy était la plus profitable du casino et la direction tolérait ses pratiques peu orthodoxes. Lorsqu'on découvrit, vers 1972, que Billy avait filmé les ébats de tous ces amoureux de fortune à l'aide de caméras dissimulées, la direction nia être au courant de l'affaire. Une analyse des livres comptables permit de déterminer que des postes attribués à la Fugitive Corporation de Nashville correspondaient en fait à des coûts d'impression pour les cartes à jouer, et que d'autres, attribués à Mirror City inc., correspondaient aux coûts d'achat d'une batterie de caméras de surveillance. Le casino fut contraint de fermer ses portes en 1974. Billy eut le dernier mot : « Le cœur, ça ne se trompe pas[2]. »

Automate asphyxié
Extraits de patience

Ce jouet sinistre est l'invention d'un fabricant allemand, August von Kippeltropp. Le riche marchand puritain, figure importante de l'Église méthodiste allemande, l'offrait à de jeunes Berlinoises soupçonnées d'entretenir des relations préconjugales ou extramaritales. Il les identifiait grâce aux potins de parvis des paroissiens.

Les traits attristés et étonnés de cette prise électrique amovible sont ceux d'un petit automate, d'environ la taille d'une quille. Afin de l'animer, il fallait introduire un cordon d'alimentation électrique dans les trous qui figurent ses yeux, son nez et sa bouche. Une fois branché, l'automate agitait les bras dans un mouvement de détresse, rappelant un noyé près de sombrer.

On ne pouvait utiliser ce jouet qu'une seule fois : lorsque l'appareil était débranché, ses œillets écarquillés, devenus trop larges pour qu'on y plante un cordon d'alimentation, évoquaient la pupille dilatée d'un mort.

Baba Yagongle
Extraits de patience

Ibn Al Farah, un marchand d'Istanbul, aurait vendu cet ongle d'oie à sir Richard Francis Burton, alors en mission à La Mecque. Il prétendit qu'il s'agissait de la rognure d'un ongle d'orteil de la hutte dansante de la sorcière Baba Yaga, qui dansait sur des pattes d'oie.

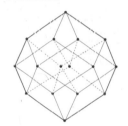

1 *Un tesseract*

Farah expliqua à l'espion que la hutte était bien connue des bûcherons russes de la forêt de Toungouska, en Russie, et qu'elle se présentait parfois à leurs haches, s'inclinant devant eux, terrifiés, pour se faire tailler les ongles.

Farah avait acquis la rognure d'Ivan Listomolov. Après une coupe maladroite, qui avait entraîné un ongle incarné et empêché la hutte au pas dansant de gambader librement dans les bois russes, la sorcière avait jeté une malédiction sur le bûcheron.

On dit de l'intérieur de la hutte de Baba Yaga qu'il est plus vaste que le laisse supposer sa façade. Il pourrait s'agir d'une construction quadridimensionnelle connue par les mathématiciens sous le nom de « tesseract' », permettant à la sorcière de couper à travers le temps et l'espace en un subtil pas de côté.

Listomolov, marchant dans les bois, se retrouva, au bout du sentier, au souk d'Istanbul, dans sa pèlerine de fourrure, ce bout d'ongle à la main. Il l'abandonna à bas prix à Al Farah et entreprit de se refaire une vie en taillant les flûtes pour les charmeurs de serpents.

Burton, qui apprécia le conte, acheta l'ongle à bas prix, pour honorer l'imagination du marchand. Il est possible que ce ne soit qu'un bout de bois de marée, ou peut-être le monde est-il l'hôte d'une magie inconnue dont l'infatigable explorateur aura profité.

Bible de sable
Extraits de patience

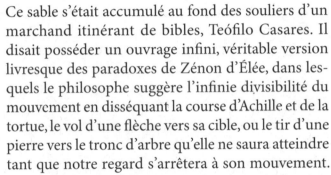

Ce sable s'était accumulé au fond des souliers d'un marchand itinérant de bibles, Teófilo Casares. Il disait posséder un ouvrage infini, véritable version livresque des paradoxes de Zénon d'Élée, dans lesquels le philosophe suggère l'infinie divisibilité du mouvement en disséquant la course d'Achille et de la tortue, le vol d'une flèche vers sa cible, ou le tir d'une pierre vers le tronc d'arbre qu'elle ne saura atteindre tant que notre regard s'arrêtera à son mouvement.

Les bibles de Casares portaient cette indication au frontispice : « L'encre de chaque page retourne au sable. Quand il y en aura assez à tes pieds, tu sauras que tu as terminé ta lecture, et que tu as tenu un peu de ta vie dans ta paume[1]. » Chacune de leurs pages se divisait en deux au moment où on la tournait. Une poignée de sable tombait aux pieds du lecteur lorsqu'il passait à la page suivante.

Casares vendit un nombre étonnant d'exemplaires à des retraités. Il leur proposait en fait des bibles ordinaires. Habile prestidigitateur, il assumait le défilement troublant des pages, et y glissait un peu de sable. Il fut arrêté en 1919 en Grèce, où il se faisait passer pour un prêcheur itinérant. Au moment de son arrestation, il montrait à une troupe d'enfants comment se passer une poignée de sable sur les yeux

1 La tinta de cada página regresa a la arena. Cuando haya la suficiente a tus pies, sabrás que has terminado tu lectura y que has tenido un poco de tu vida en la palma de tu mano.

2 Acepten esta arena si quieren empezar a soñar historias imposibles.

pour « commencer à rêver d'histoires impossibles[2]. »
Ce geste fantaisiste mit fin à sa carrière de marchand
ambulant.

Billet des aveugles
Extraits de patience

Ce billet estampillé de braille porte l'inscription
« Cinéma des aveugles, minuit[1] ». Certains parmi les
plus pauvres et solitaires aveugles d'Halifax, ques-
tionnés sur l'existence du Cinéma, prétendent qu'il
présente, dans ses salles abandonnées, des séances de
minuit, où l'on s'endort dans la lumière et la rumeur
de films sans images. Bien qu'aucun de ces affligés
ne puisse en indiquer le lieu exact, chacun mènera
le curieux, après maints détours, jusqu'à des murs
nus, au fond de ruelles sans issue.

Un de ces guides aveugles résume bien l'énigme
du Cinéma : « On n'arrive pas au Cinéma des aveugles en fermant les yeux. Être aveugle, ce n'est pas la
même chose que de fermer les yeux, et ce n'est pas
du cinéma[2]. »

1

2 You don't wander into
the Cinema for the Blind
by closing your eyes.
Being blind is something
altogether different from
closing your eyes, and it's
not cinema.

Billet doux
Extraits de patience

Ce ticket reposait au fond de la poche droite du
veston crème de Monsieur Québec 1952, Héctor
Bibault, le soir de son arrestation pour cause
d'ébriété, à Pittsburgh en 1954, année de prohibi-
tion, par le sergent-détective Samuel Marwinkle III.
Bibault était alors en tournée avec le Travellin'
Muscle Crew, en provenance de la bourgade ferroviaire de Pike River, dans la région de l'Estrie,
au Québec. Le ticket avait été distribué par l'église

1 Bibault was set up by Marwinkle, who wanted to get
back at him for his charm.

2 *South of Destiny* (1942),
un drame en technicolor

45

Saint-Pierre-de-Véronne, qui venait de tenir sa tom-
bola annuelle.

« Marwinkle l'a escroqué pour se venger de son
charme¹. » Le bedeau de l'église Saint-Pierre, Fernand
Mitchka, témoigna en faveur du Canadien, expliquant que Bibault ne buvait guère et qu'au Canada
français on appelait « liqueur » (*liquor*) les boissons
douces (*soft drinks*). Marwinkle ne voulut rien
entendre. Il aurait été jaloux de l'homme fort, qui
s'attirait si facilement la faveur des femmes.

L'arrestation spectaculaire rehaussa le programme
de la soirée. Marwinkle et ses hommes, surgissant
des coulisses, passèrent les menottes à Bibault
au moment où il montait sur scène pour prendre
dans ses bras Lili Linus, danseuse étoile du Lonely
Hunters Club. Trois hommes du Muscle Crew qui
accompagnaient Bibault se joignirent à la mêlée
pour affronter les matraques des gendarmes et prêter
main-forte à leur collègue. Ils ne firent l'objet d'aucun
chef d'accusation.

Un moment avant de se lancer sur scène, l'homme
fort avait crié, du fond de ses poumons : « Rita ! Ma
petite Rita ! », donnant ainsi le signal à ses oppres-
seurs. Le nom véritable de la pétulante Lili, qui avait
l'habitude d'accueillir les hommes de l'escouade
dans sa loge avant le spectacle, était en fait Rita
Bibault. Elle avait grandi dans le quartier ouvrier
de Saint-Henri à Montréal, née d'un père québécois
et d'une mère autochtone. Benjamine d'une famille
qui comptait quatorze enfants, elle avait été promise,
dès le plus jeune âge, à un destin de journalière. Ses
parents, pour qui l'amour était une notion aussi
vague qu'une journée de congé, considéraient leur
progéniture comme un vulgaire capital ouvrier.

Hector, rendu orphelin par l'incendie de l'atelier
de linotypie de son père, fut adopté par la famille
en 1938, à l'âge de six ans. Ses nouveaux parents,

constatant sa force naturelle, offrirent ses services au moulin local, où il activait les meules avec une puissance inversement proportionnelle à son âge. L'hiver, Hector découpait des blocs de glace destinés aux frigos du quartier sur la surface gelée du canal Lachine. De retour à la maison, il se lovait sous le poêle, où il s'endormait transi, comme un chien mouillé. Quand son père l'éveillait du bout du pied, à l'aube, il devait traverser la flaque que la sueur du travail et la brume de ses rêves avaient formée sur le plancher de la cuisine.

Hector et sa petite sœur grandirent en partageant leurs espoirs. En 1945, lors de l'annonce de l'armistice à la radio, ils crurent capter, entre les lignes du bulletin de nouvelles, un signal codé pour leur évasion. Le lendemain, ils s'enfuyaient ensemble du foyer familial. Lui deviendrait l'homme fort qu'il serait. Elle serait cette charmeuse qu'elle savait porter en elle.

Ils avaient à peine treize ans quand ils montèrent ensemble sur la scène d'un bar de Waterloo. Le propriétaire alcoolique, revenu de guerre avec un bras en moins, donnait à n'importe qui la chance de se produire devant public, alors qu'il s'égarait parmi les fréquences de la radio à ondes courtes qu'il portait sans cesse à son oreille. Jonathan Saint-Jean, un entraîneur de Pike River qui affectionnait le gros gin et les complets de tartan rouge, passait par là. Hector retroussa ses manches et leva le frigo du bar à bout de bras. Saint-Jean reconnut l'homme fort qu'il devenait. Rita chanta « Bonne fête » en anglais. Wilbur Simonson, un imprésario de l'Ohio aux traits voilés par la fumée de cigare, sirotait un verre d'absinthe. Il fut enchanté par la jeune femme qui deviendrait Lili.

Les voies de Rita et d'Hector se séparèrent près de la frontière américaine. Ils se retrouvèrent, un soir de 1954, au sud de leur destin[2]. Lui était Monsieur Québec. Elle était devenue Lili Linus. Les dérèglements de l'amour filial et la masculine jalousie des policiers valurent à Hector de passer douze années en prison. Pour ce qui est de Lili, plus un policier ne passa le seuil de sa loge. Quand elle remonta sur scène pour la première fois après l'incident, elle pleura de vraies larmes, et garda tous ses vêtements. Simonson, qui la raccompagna avec délicatesse à sa loge, l'entendit murmurer une chanson de son invention :

Tous les bons garçons
et les bonnes filles de Jésus
tôt ou tard devront
rentrer prier à la maison[3].

Brique Bartleby
Extraits de patience

1 "I'd rather not." À noter que la formule exacte du Bartleby de Melville est : "I would prefer not to."

2 She cultivated the art of watching time pass by the window.

Cette brique, détachée de la façade du 3, Wall Street, qui abrite le siège social de The Whiskers Corporation à New York, a fait face à la fenêtre du teneur de livres Ichabod Stipes. Ce dernier défraya la chronique en refusant, au moment de l'expropriation de son entreprise du 1, Wall Street par la Banque de New York, de quitter son bureau. Depuis peu, il refusait également de s'acquitter de ses tâches, toujours avec la même formule polie : « Je préférerais ne pas[1]. »

Stipes avait en fait un interlocuteur, ou en tout cas un spectateur. La brique n'était pas cimentée au mur et son voisin du bureau d'en face pouvait la retirer à loisir et épier Stipes dans son retrait intégral. Le regard qui paralysait ainsi Stipes était celui d'une jeune femme qui accompagnait partout William Whiskers, le président de la société. Sa beauté et son intelligence lapidaires étaient de tels atouts, dans les rencontres d'affaires, qu'elle n'avait pas d'autre tâche, au bureau, que de s'asseoir et de, selon une des formules dont elle avait le secret, « regarder passer le temps par la fenêtre[2] ».Son nom n'est pas inscrit sur les livres comptables et nul ne sait si elle touchait un véritable salaire pour ses services.

Stipes lui envoya des lettres, pendant plus d'un an, à l'adresse de la compagnie, avec la mention « Important », et d'occasionnels mots doux. Ils ne furent pas décachetés. Quand la Banque de New York termina la construction de la nef aux couleurs sanguines de son siège social, Stipes obtint, grâce à une relation familiale, un emploi au Dead Letter Office, à Washington, où il classait le courrier sans destinataire.

Il est probable qu'Herman Melville, qui travaillait aux douanes proches, eut vent de cette histoire.

Bulle increvable
Extraits de patience

Une bulle est une surface lovée autour d'un vide, détendue autour du moindre effort. Celle-ci a ceci de particulier qu'elle est jusqu'à preuve du contraire increvable. Bien qu'elle n'ait pas encore été mise à l'épreuve par une piqûre directe, son élasticité, parfaitement balancée, résiste à l'épingle.

Ses origines remonteraient au « Eurêka » d'Archimède, qui la souleva de son bain moussant en levant le doigt en signe d'enthousiasme. Archimède, emporté par sa découverte du principe de la vis, ne remarqua pas la permanence de la bulle. C'est grâce aux pythagoriciens qu'elle est parvenue jusqu'à nous. Informés par un domestique adhérent à leur culte de l'existence de cette bulle increvable dans la salle de bain du maître, ils la subtilisèrent. Ils

1 Příroda je líná, ale znovu a znovu obnovuje své úsilí. Věda visí na hlavičce hřebíku. Konstrukce vědění stojí na bezúhonnosti bubliny.

y voyaient une violation de la loi naturelle, cette géométrie parfaite où ils reconnaissaient la pensée idéale et dont ils s'appliquaient à préserver l'image sur terre.

On suppose qu'elle passe, de génération en génération, comme un Graal, en la possession de divers ordres hermétiques. Au 17ᵉ siècle, elle réapparaît dans une des salles de bain du roi Léopold de Bohême, qui s'amusait à la faire rebondir de doigt en doigt, en rêvassant à voix haute : « La nature est paresseuse, mais elle renouvelle sans cesse ses efforts. La science tient sur la tête d'une épingle. L'édifice du savoir est remis en cause par l'intégrité d'une bulle[1]. » Elle fut subtilisée du socle où il l'installait à l'issue de ses baignades, et retourna, comme les eaux usées, à la circulation souterraine.

La signalisation de la bulle, d'un diamètre d'environ deux centimètres et d'une complexion mordorée propre au savon ancien, à base de moelle animale, circule parmi les adeptes les plus passionnés du bain moussant. Nombreux sont ceux qui abordent leur trempette avec une délicatesse décuplée, de peur de casser par inadvertance cette bulle parfaite dont ils espèrent une nouvelle révélation.

Burin lascauïque
Collection du miroir

Dordogne, France, 12 septembre 1940 : quatre jeunes hommes de Montignac partent à la recherche d'un chien égaré. L'un d'entre eux, qui aime peut-être ces revues de science-fiction à cinq sous que les Américains parachutent par tonnes sur les kiosques à journaux de France, l'a nommé Robot. Ils l'entendent aboyer sous terre. Robot est tombé dans une faille étroite en chasse d'on ne sait quel rongeur.

Les jeunes hommes élargissent la faille grâce à un silex trouvé parmi les rochers avoisinants[1]. Robot s'est éloigné et ils doivent s'enfoncer plus avant. Ils découvrent, à la flamme d'un briquet, les œuvres millénaires de la grotte de Lascaux. Dans un repli de pierre, nos ancêtres partageaient le mystère du monde à la lueur des premiers feux. Robot se tient pantelant et maculé au milieu des fresques, égaré au cœur des chasses anciennes. Il est le descendant domestique des animaux qui courent sur les murs, incarnations fuyantes et effrayantes du monde, offertes aux armes, au courage et à l'appétit des hommes. Les bêtes qui étaient nos premières divinités demeureront sans nom.

Nous pouvons aujourd'hui nous demander si c'est à ces garçons de Montignac, au chien au nom moderne Robot ou au rongeur invisible qu'est véritablement redevable la redécouverte de la grotte primordiale. Tant qu'elle demeurera entière, les sentiments archivés à Lascaux continuent de nous survivre.

[1] L'analyse du silex au carbone 14 révéla qu'il datait de la même époque que les peintures de la grotte. Les archéologues nous assurent que l'artiste inconnu l'utilisait pour moudre ses pigments.

Calocybes scolopendriques
Collection du miroir

C

Le 7 août 1862, Charles Lutwidge Dodgson, alias Lewis Carroll, part cueillir des champignons avec les sœurs Liddell : Edith, Lorina et Alice. Il invente avec elles le conte du *Pays des merveilles*. On croit que le personnage du mille-pattes fumeur a été créé lors de cette expédition.

À cette date, madame Pritchett, la gouvernante des Liddell, écrit dans son journal : « Le révérend Dodgson et les petites ont cueilli des champignons tout l'après-midi ; il empoisonnera davantage que leurs esprits avec ses absurdités[1] ! »

[1] Rev. Dogson and the wee ones gathered mushrooms all afternoon — he'll poison more than their minds with his nonsense!

[2] These mushrooms are future proof of premeditated mischief.

Il s'agit du premier d'une série d'incidents qui menèrent Dodgson à être disgracié par les Liddell à l'été 1863, madame Liddell à détruire toutes ses lettres adressées à Alice et la nièce de Dodgson à supprimer les pages du journal de son oncle couvrant la période du 27 au 29 juin de cette année-là.

Madame Pritchett a conservé les champignons comme « preuve future de délits prémédités[2] ». Elle les a si bien réfrigérés qu'ils ont survécu plus de trente années dans le sous-sol du doyenné d'Oxford avant d'être découverts par une relation chimiste des Liddell, le docteur Otto Placebo de l'Université de Leipzig. Son analyse a alors démontré que ces champignons n'ont aucun effet hallucinogène.

Camera blues

Extraits de patience

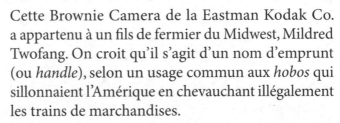

Cette Brownie Camera de la Eastman Kodak Co. a appartenu à un fils de fermier du Midwest, Mildred Twofang. On croit qu'il s'agit d'un nom d'emprunt (ou *handle*), selon un usage commun aux *hobos* qui sillonnaient l'Amérique en chevauchant illégalement les trains de marchandises.

Walker Evans et Robert Penn Warren rencontrèrent Twofang lors de leur traversée documentaire du Dust Bowl pour le magazine *Fortune*. Evans note, dans une lettre à son collègue, que, « dans ces parages, c'était le seul appareil qui n'était pas dans leurs mains[1] ».

Mildred photographia nos deux aventuriers socialistes dans une pose semblable à celle de certains de leurs sujets, devant la ferme en ruine qu'il disait appartenir à ses parents décédés. Evans offrit à l'enfant un travail d'assistant, ce à quoi il répondit : « Je dois fidélité à Huck et me risquer seul à

1 Around these parts, it's the only camera we weren't handling.

2 I owe it to Huck to light out on my own for the territories.

3 Some of 'em's got their blues in their guitar; me, I got 'em in a box.

disparaître à l'horizon des territoires[2].» Ils perdirent sa trace lorsqu'il monta illégalement dans un train en route vers la Californie.

Ses mots d'adieu : « S'il y en a qui portent leur blues dans leur guitare, moi je le garde en boîte[3]. »

Canard des Canard, 1968
Collection de Prague

Ce canard, depuis longtemps séparé de ses semblables, est le plus souriant d'une portée de cinq canards de caoutchouc affichant chacun une expression unique. L'ensemble, fabriqué en série par la branche uruguayenne de la caoutchoutière Canard Frères et vendu à dix francs à la Samaritaine, fut un des accessoires de décoration intérieure les plus convoités de 1968. Les chiffres annuels de vente de Canard Frères[1] laissent d'ailleurs croire qu'on retrouvait ces expressifs canards dans environ un huitième des salles d'eau de la grande région parisienne.

Ce ne fut pas seulement son sourire qui fit sortir ce canard du lot. Jean-Claude Brume, qui se vantait « d'avoir passé 68 à l'horizontale, en flottement entre sa baignoire et les lits de Paris », en avait hérité par erreur. Il le retrouva dans sa mallette à la suite d'un découchage dans le Quartier latin, chez une doctorante de la Sorbonne, « dont ce n'était pas l'habitude ». La jeune femme a souhaité préserver l'anonymat.

Brume, un théoricien littéraire, avait également étudié l'histoire et la philosophie des sciences. Sans occuper de poste permanent au sein d'une faculté, il poursuivait depuis une quinzaine d'années une démarche postdoctorale dans un groupe de recherche interuniversitaire consacré aux « arts électriques ». Ses recherches, qui l'avaient d'abord mené

1 Canard Frères cessa la production des canards en 1975, alors que son propriétaire, Christophe Canard, s'enfonçait dans la jungle amazonienne à bord du vapeur *Klauski*, dans une tentative romantique (il aurait pu voyager en hélicoptère ou en avion) d'annexer à son exploitation caoutchoutière un territoire réputé inaccessible, vers l'estuaire du Río de las Mariposas, par-delà le versant occidental de la Sierra Transparente. On retrouva le navire au sommet du Monte Análogo, abandonné par son équipage et « solitaire comme l'arche du Déluge », selon le mot de son frère Louis. L'examen des livres comptables par les créditeurs de la compagnie révéla que Christophe Canard avait, dans son aventure, épuisé le fonds de roulement de la compagnie. Louis affirma qu'« il n'y aurait pas eu assez d'oiseaux dans la jungle entière pour les tirer de ce naufrage ». Pour ceux qui le connaissaient, le geste

fatal de Christophe Canard n'avait rien d'étonnant. Il avait après tout lancé la production des canards par pure facétie, afin de faire écho à son patronyme, la compagnie étant très active dans la production de chambres à air, de balles de golf et de tennis et, plus récemment, de matelas ergonomiques. Selon Louis, le succès inattendu du canard des Canard entraîna les excès mégalomanes de son frère : « Un couac et tout sombre. »

2 Kurt Vonnegut, l'année suivante, publierait *Slaughterhouse-Five,* dans lequel Billy Pilgrim, soldat incompétent emprisonné à Dresde, rêve d'une captivité parallèle sur Tralfamadore, où ses geôliers extraterrestres l'exposent dans une cage de zoo avec une starlette du porno, Montana Wildhack. Il se réfugie dans ces fantasmes copulatoires pour se garder de l'horreur du bombardement incendiaire de la ville. Lorsque Brume, sur le conseil d'une amie, prit connaissance de la traduction française de l'ouvrage, il affirma « qu'une seule faute d'orthographe en trois années-lumière, cela est fort acceptable ».

3 Brume, qui voulait minimiser les dommages au canard, extrait la capsule en élargissant le trou à l'aide des ciseaux de coiffeur qu'il utilisait pour débroussailler sa moustache, y glissant ensuite des pinces à sourcils dans l'espoir d'extraire l'objet sans l'endommager. Il réussit cette opération délicate sans même sortir de sa baignoire.

4 *Le canard de Vaucanson*

à se pencher sur les « êtres de fabrication », émules organiques ou inorganiques de la créature de *Frankenstein* ou de l'Ève future qui avaient hanté les pages des revues populaires du 19e siècle, portaient plus précisément sur la « conscience parcellaire ».

Tout au long des années soixante, Brume travailla à un ouvrage de prospective inédit, *Mécanique du mésentendement,* où il revisitait les *a priori* kantiens, postulant une circularité perceptible du temps, où « la technologie future, par une torsion acausale, détermine à travers l'anticipation humaine les conditions de sa propre naissance ». L'ouvrage devait comporter trois parties. Dans ses manuscrits, Brume oscille entre l'essai philosophique, la fiction spéculative et la prose poétique. Le livre commence par une longue introduction théorique, « La conscience fractionnaire ». Brume constate que les cybernéticiens et les cognitivistes de son époque ne parviennent à modéliser qu'une fraction d'un geste physique ou d'un processus conscient. Il les enjoint à conjuguer les résultats de leurs recherches afin de donner naissance à une cohorte d'êtres de composition. Ces assemblages improbables seraient alors capables de jeter un éclairage métaphorique sur nos gestes et nos consciences. Dans la deuxième partie de l'ouvrage, « Le jardin des mésentendus », Brume abandonne complètement cet argument théorique afin de décrire les automates, d'une bizarrerie baroque, peuplant la planète-jardin Trafalmagore, qui orbite autour du « soleil rabougri » de notre astre voisin, Proxima du Centaure, « naine rouge au feu étiolé, brillant sur un monde terni par l'attente[2] ». Chacun des êtres de composition décrits par Brume représente un détournement fantaisiste de recherches factuelles. La troisième partie, « Le soliptique », présente un flot disjoint d'inventions linguistiques. Le chapitre est narré du point de vue de la conscience planétaire et schizoïde de Trafalmagore, qui existe dans « l'avenir que nous ne verrons pas, rêvant à nous qui rêvons en lui ». Quand on interrogeait le professeur Brume sur son projet inachevé, il se contentait de ce double sens sibyllin : « Ce qui doit arriver arrive à arriver. »

Un après-midi de mai 1968, Brume constata, à la faveur d'un long bain où il lui vint en tête d'inspecter le petit trou qui assure la flottaison des canards de caoutchouc, que le spécimen souriant qui se baignait avec lui contenait ce qui semblait être un objet solide, en forme d'ogive[3].

L'objet était une capsule analgésique vidée de son contenu original, où on avait glissé un papier bible finement roulé. Sur ce fragile papier figurait un schéma du mécanisme interne du canard présenté au Palais-Royal du cardinal de Richelieu par le médecin Jacques de Vaucanson, automaticien constructeur d'anatomies mouvantes[4]. Recouvert d'un habit de plumes véritables, flottant et cancanant sur l'étang parmi ses faux frères, le canard de fabrication amusait la royauté en ingérant de la nourriture qu'il déféquait plus tard. Cette illusion étonnante résultait en fait d'un subtil stratagème : le canard contenait des petites boules pétries d'avance, d'une texture et d'une consistance semblables aux excréments de canards véritables. La véracité du processus digestif suscita longtemps des débats. Encore au 19e siècle, l'illusionniste Jean Eugène Robert-Houdin dénonçait cette mystification. L'automate brûla dans l'incendie du musée de Nijni-Novgorod en 1879, emportant avec lui toutes les preuves. La portée de la découverte de Brume n'en est que rehaussée[5].

Brume consulta, comme c'était son habitude, ce fragile document dans sa baignoire. S'assoupissant, il échappa le papier, qui fut réduit à une pâte

5 L'intérêt de cette découverte est encore décuplé par le fait qu'au verso du plan figurait la recette pour cuisiner ces excréments, rédigée en ancien français, dans une calligraphie déliée, et signée Adalbert de Ménenmil. Il figure dans les registres de Versailles à titre de marmiton des cuisines royales.

L'intégrité de la supercherie nécessitait que la contribution de Ménenmil demeure anonyme. Il s'enfuit des cuisines royales en 1738 et on le retrouve bientôt à Berlin, où il tente de vendre sa recette au mécanicien Anabasius Bausch, constructeur d'un prototype inachevé de caniche automate (Anabase, le caniche de Bausch, était récemment décédé de causes naturelles). Ménenmil tente de convaincre le riche inventeur, un misanthrope avoué, que la défécation est nécessaire à toute illusion automaticienne. L'autre rejette méchamment cette position comme une fantaisie française : « quand ils ne pensent pas avec leurs estomacs, ils pensent avec leurs culs. » Ménenmil, rassemblant ses dernières économies, voyage vers Genève, où il tente de faire breveter son invention. Entre-temps, Vaucanson disparaît. Ses papiers, sans doute par solidarité pour leur supercherie, ne mentionnent nullement Ménenmil. Si les autorités reconnaissent l'exactitude de la recette du marmiton, elles n'en voient guère l'usage. Un des rapports d'examen la condamne même comme la « cuisine d'un farceur ». Ménenmil n'obtiendra jamais le brevet convoité, et l'illusion du canard conservera son entière intégrité. Il reprendra le travail à l'hôtel Majestique de Genève, et dira : « Je n'en tiens point

55

rigueur à monsieur de Vaucanson, qui voulait son illusion parfaite, cela étant il se pourroit bien que la vie soye une mécanique dont la fonction et les machinations pour toujours nous échappent.»

6 La seule copie existante de *La conspiration des caoutchoutiers* serait en possession de l'étudiante anonyme.

illisible. À la destruction par le feu succéda donc la destruction par l'eau. Le manuscrit de *Mécanique du mésentendement* subit un sort semblable. Brume, qui avait posé son ouvrage au pied de sa baignoire pour le relire, s'endormit en laissant couler le robinet. L'eau inonda l'appartement et emporta le manuscrit avec elle par les escaliers, jusqu'aux égouts de Paris, le long de la Seine et, on peut le croire, au fond de l'océan.

*

L'histoire se poursuit toujours ailleurs. Au début des années quatre-vingt, Brume publia, sous le pseudonyme de William Pélerin, un pamphlet historique d'un sérieux discutable, *La conspiration des caoutchoutiers,* sans doute inspiré par la découverte du canard. Il y développe une thèse révisionniste selon laquelle de nombreux caoutchoutiers du Nouveau Monde auraient été membres d'une secte dont la visée eschatologique était de remplacer la chair par le caoutchouc, «plus malléable, imperméable et pratique». Il les décrit se rassemblant, en combinaisons de caoutchouc, pour des cérémonies secrètes et «masturbatoires», où «les corps se frottent comme des spermatozoïdes stériles et sans issue». Brume, un hédoniste convaincu qui, si on en croit ses amis, avait vécu avec grand profit la révolution sexuelle, signait là un commentaire sur la nouvelle «maladie d'amour», le sida, et sur l'obligation de «connaître l'autre à travers un voile industriel[6]».

Les esprits analytiques devront donc se fier, dans cette affaire, au témoignage de la discrète étudiante qui fit adopter le canard par Brume, et au canard lui-même. Ceux qui voudront troubler la paix de l'amante effacée constateront qu'elle avait en effet acheté le canard à la Samaritaine, pour dix francs, et iront chercher ailleurs la généalogie de la recette secrète. Ne sachant rien de ce qui mena ce bout de papier au cœur du canard, on peut se rabattre sur le mot de Brume, selon lequel notre conscience est parcellaire et « ce qui doit arriver arrive à arriver ».

Cavalier polygraphe, 1978
Collection de Prague

Ce cavalier appartenait à Georges Perec, qui l'utilisa afin de tracer les mouvements de la narration à travers l'immeuble imaginaire du 11, rue Simon-Crubellier, où se situe l'action (ou les actions) de *La vie mode d'emploi*. L'enchevêtrement des récits du « romans », on le sait, est calqué sur la polygraphie du cavalier[1], un problème d'échecs transposé à un échiquier à cent cases. Comment le cavalier, par ses mouvements en L, peut-il tour à tour occuper chaque case, sans jamais se poser deux fois sur la même ? Sur l'échiquier de Perec, le problème est insolvable : une case demeure à jamais vacante.

Afin de planifier son travail, Perec annexa à son plateau d'échecs de soixante-quatre cases une grille de trente-six cases, dessinée au feutre noir, nécessaire à la constitution de son arabesque narrative. Lorsqu'il acheva son roman en 1978, il posa le cavalier sur la case qui devait demeurer vide. Le lendemain, il était manquant. Perec attribua cette disparition à son chat : « Il gagne à tous coups. »

1 *La polygraphie du cavalier*

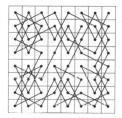

Chapeau d'Holden
Extraits de patience

Holden Caulfield a existé. L'homonyme de l'adolescent bavard de J. D. Salinger s'exprimait exactement comme le personnage de l'auteur, si l'on en croit les

1 I'm already well on the way
   to phoniness.

villageois d'Ebburg, où il fit longuement carrière comme pompiste. Qui plus est, il portait le même chapeau à oreillettes que le héros adolescent, et ce, bien qu'il ait été un quadragénaire « déjà bien en chemin vers la fausseté'».

Roy Elstein, professeur à l'Académie d'Ebburg et salingerien passionné, informa Caulfield de sa ressemblance insolite avec le personnage de *The Catcher in the Rye*. Il réussit également à faire engager le pompiste comme professeur adjoint de création littéraire. Caulfield n'avait jamais écrit une ligne et il refusait de lire le roman écrit dans son parler. Lorsque la vanité d'un des étudiants l'importunait, il dépliait les oreillettes de son chapeau de chasse pour ne rien entendre.

Ebburg s'élève à trois milles de la propriété où Salinger se retira de la vie publique. L'auteur rencontra sans doute, en chemin vers son refuge, à un moment ou à un autre, ce pompiste qui ignorait tout de lui.

Circuit amoureux, 1981
Collection de Prague

1 The saddest song in
   the world.

Ce circuit imprimé est doté d'une entrée qui permet de recevoir des écouteurs, ainsi que d'un interrupteur et d'un bouton. Il s'agit d'une unité audio autonome. Lorsqu'on enclenche l'interrupteur, elle répète inlassablement des « Je t'aime » et des « Je ne suis pas né » avec des accents robotiques et sans chaleur. Appuyer sur le bouton entraîne une variante linguistique : les deux phrases sont enregistrées dans 236 langues, incluant certaines langues disparues de Micronésie et d'Afrique centrale, l'ancien islandais et l'inuktitut. Une des variantes correspondrait possiblement à un dialecte néanderthalien.

À l'aide d'un microscope, on peut lire la phrase en anglais qui est inscrite en microcaractères sur l'émail du circuit : «La chanson la plus triste du monde'.» L'appareil, avec sa litanie d'enfant des limbes et d'amour perdu, connut une vogue fulgurante dans un certain underground berlinois où des gens de noir vêtus cultivent de sombres sentiments.

Au Zapdorf de Berlin, il fut même une jeune femme, Agnes K. Traumtänzer, dont le module ne quittait jamais l'oreille. Elle ne cessait de pleurer, le doigt posé sur l'interrupteur, dans une performance qui dura deux ans et lui valut un millier de cocktails compatissants. Un soir, elle disparut enfin du club, pour accepter un emploi chez un disquaire, Big Bam Boom, spécialisé dans la revente des trente-trois tours.

Clefs aller-retour
Extraits de patience

Les indentations de ces deux clefs, l'une de bronze, l'autre de fer, sont rigoureusement identiques.

Conformes à la serrure d'une porte à sens unique, engoncée en plein air, au fond d'un ravin montagneux, et départageant une aride vallée d'un luxuriant jardin à l'anglaise, ces clefs appartenaient à Horace Gustave William Bourget, obscur littérateur anglo-suisse qui tenait sa fortune de la vente de larges étendues de la pampa argentine à des éleveurs de moutons. Bourget, qui était aveugle, ne publia, ni de son vivant ni après, aucune des fables fantastiques qu'il passait le plus clair de son temps à dicter, dans son cabinet de Genève, à des étudiantes en littérature engagées à bas prix. Selon leurs dires, ses récits, truffés de clichés, empreints d'un rationalisme abusif et de morales misanthropes, ne valent pas la peine qu'on s'y attarde. Ils sont de toute façon perdus, envolés comme les paroles de leur auteur.

Les clefs figurent dans un récit intitulé « La vallée des Aveugles ». En cette vallée, on n'entre pas deux fois. Les membres d'un cercle hypercritique d'aristocrates sur le déclin sacrifient leurs yeux en échange d'une clef qui leur donne accès à la vallée. « Nouveaux Œdipes, enfantés par eux-mêmes », comme le veut la formule empesée du fabulateur. Selon l'argument improbable du conte, bien que nul ne sache quel bonheur attend derrière la porte, les aristocrates sont assez blasés pour s'y rendre. Un sherpa aux traits cruels, qui répond au seul nom du « Berger », les accompagne jusqu'au lieu de leur exil et préside au rituel de la crevaison des yeux. Il confie aux nouveaux aveugles une deuxième clef, destinée à ouvrir la « Porte des retours », par où ils pourront revenir au monde qu'ils ne veulent plus voir, pour « en chanter les lacunes tel Homère au temps jadis ». Avant de repartir vers la civilisation, le Berger annonce au nouvel aveugle que personne n'a jamais trouvé la serrure de cette porte. La vallée des Aveugles est peuplée de vieillards aux complets déchirés, titubant le long des parois rocheuses, à la recherche d'un trou de serrure qui n'existe pas. La clef des retours est un rappel à quiconque voudrait revenir de la vallée que le bonheur qu'il voulait y trouver est gaspillé d'avance.

Monsieur Bourget, ses deux clefs en main, prétendait être allé dans la vallée et en être revenu, sans doute pour impressionner les étudiantes. L'une d'entre elles, Alicia McCarrer, ayant dérobé les clefs, les inséra dans toutes les serrures de l'appartement genevois de Bourget, découvrant qu'elles déverrouillaient toutes deux l'escalier dérobé réservé aux domestiques et qui menait à la chambre de la plus jeune d'entre elles, Durga Ray, une Indienne qui allait devenir une des danseuses du ventre les plus prisées des clubs clandestins de Zurich après la mort de son maître. Le jardin des délices était plus proche qu'il n'y semblait.

Clefs ambidextres
Extraits de patience

Londres, 1944. Stephen Wallner, un rédacteur publicitaire de trente-cinq ans, et Jeremiah Salterton, un encanteur de cinquante-trois ans, habitent à un coin de rue l'un de l'autre, dans le quartier londonien de Camden Town. Chaque matin, en se rendant au travail, ils se saluent d'un mouvement imperceptible de la tête. Ils ne se sont jamais adressé la parole.

Les deux hommes portent l'imperméable, l'un beige, l'autre d'un gris vaporeux, une écharpe à carreaux nouée au cou, l'une rouge et verte, l'autre noire et blanche, transportent des mallettes de cuir brun, l'une à boucle, l'autre à fermeture éclair, et sont coiffés de chapeaux à la mode du jour : un Stetson brun pour Wallner et un Derby gris perle pour Salterton. Ils transportent des parapluies noirs identiques, de marque London Fog.

Leur histoire et leur politesse réciproque se confondraient à celles de la masse des hommes d'affaires londoniens, si ce n'est qu'ils se décident à échanger leurs vies, le 30 avril 1944, s'arrêtant, à midi tapant, comme un seul homme, au centre de Camden Square. Est-ce Wallner ou Salterton qui le premier saisit le chapeau de l'autre pour le poser sur sa tête ? Suivent l'imperméable et les écharpes. Ils comparent leurs parapluies, qui sont identiques, et décident de les conserver. Dans les vêtements l'un de l'autre, ils s'invitent à prendre un thé et des scones au Tranquil's Tea House. Ce sera leur unique conversation. La serveuse leur apporte l'addition. Ils la regardent s'éloigner, boivent une dernière gorgée de thé chaud, puis

1 Les autobus londoniens sont numérotés, et non pas identifiés à l'aide d'une lettre. Il s'agit peut-être d'une allusion à une correspondance avec une des stations de l'Underground dont le nom aurait été abrégé à sa seule initiale.

posent, avec l'argent de leurs consommations, la clef de leur demeure sur la table. Wallner, qui est gaucher, glisse celle de Salterton dans sa poche gauche ; Salterton, qui est droitier, range celle de Wallner à droite.

Le jour suivant, Wallner et Salterton quittent leur emploi. Le 20 juin, Wallner est engagé comme encanteur à la place de Salterton, qui comble le poste vacant de Wallner. Wallner vit dans le cottage de Salterton, et Salterton occupe la garçonnière de l'autre. Sans plus jamais s'adresser la parole, ils poussent le rapprochement à des extrêmes. Les deux hommes fondent leur alimentation sur le contenu du garde-manger de l'autre, rachètent les savons et les produits ménagers trouvés dans leur nouveau domicile, font ajuster les vêtements. Au travail, ces doubles volontaires, tout en cultivant leur réputation d'excentricité, s'acquittent avec efficacité de leurs tâches. Ils continuent à vivre seuls, et à se croiser chaque matin de la semaine, à Camden Square. S'adresseraient-ils, par quelque subtil scintillement de leur regard, un salut secret ?

La symétrie est presque parfaite, si ce n'est de la différence d'âge et du fait que l'un est gaucher, l'autre droitier. Tous deux sont incorrigibles. Le manège se poursuit pendant dix ans, sans qu'ils prennent aucune nouvelle l'un de l'autre. Le 30 décembre 1954, Wallner n'apparaît pas, au moment voulu, à Camden Square. Une ombre, que personne ne remarque, passe sur les traits de Salterton, qui se rend au travail comme à l'habitude. Au lunch ce jour-là, qu'il prend invariablement au Lamplighter's Pub, il apprend, dans l'obituaire du *Guardian,* le décès de son double, renversé, le dimanche matin, par un autobus à deux étages à Camden Square.

Salterton, identifié comme l'exécuteur testamentaire de Wallner, vide son appartement. Il emballe les possessions de sa vie passée, comme s'il présidait à sa propre mort. Plus tard ce jour-là, il vide l'appartement qui fut d'abord le sien. Quatre-vingt-huit boîtes sont livrées à un brocanteur français, Janson Sorel, qui sera le dernier à voir Salterton. Le vieil homme, portant son ancien chapeau, monte dans l'autobus de la ligne s qui a renversé son double et s'embarque vers une nouvelle vie'.

Clefs binaires, 1841
Collection de Prague

Le prototype perdu de l'engin analytique de Charles Babbage, ordinateur de l'ère industrielle animé par la puissance de la vapeur, permettait de calculer, en moins de temps qu'il n'en prend pour s'exclamer « Si seulement je pouvais exécuter ces calculs à la vapeur'! », le tonnage des navires ou les trajectoires balistiques. La machine, programmable à l'aide de cartes perforées, empruntait certains de ses principes de fonctionnement aux mécaniques à tambour des métiers à tisser Jacquard. Tant de femmes souffrent de voir leur destin entremêlé aux inventions des hommes. Lady Ada Lovelace, amie de l'inventeur, serait la première à troquer son siège assigné au métier à tisser pour le clavier du programmateur.

Babbage, qui redoutait l'espionnage industriel, employait des techniques de désinformation pour préserver le secret de son prototype. Les plans, dessinés à l'aide du miméographe d'Alfred Gaddis, n'étaient lisibles qu'à l'aide d'un miroir, et comportaient des erreurs volontaires. Il a été jusqu'à présent impossible de reconstruire un prototype fonctionnel de l'engin et de prouver qu'il ne représentait pas qu'une possibilité théorique. Selon toute probabilité, Babbage fit secrètement assembler un prototype de son engin dans un souterrain de Londres, situé sous les fondements d'une église anglicane du quartier de Somers

1 I wish I could perform these calculations by steam!

2 « As long as she and I work together, there will be no halting our ratiocinations. »
  L'usage du mot « halting » dans la formule de Babbage préfigure, selon un exégète excentrique de l'histoire de l'informatique, Zbigniew Elm, le « halting problem » (problème de l'arrêt) formulé par Alan Turing dans son essai fondateur, "Computing Machinery and Intelligence", publié dans *Mind* en 1950, où les bases théoriques de la computation contemporaine sont établies. La machine universelle imaginée par Turing permet de représenter tous les processus logiques possibles. Mais il existe, pour toute machination logique, une série d'instructions qui en enrayeront le fonctionnement et causeront l'arrêt définitif de la mécanique. Elm, de qui nous tenons d'ailleurs cette citation douteuse

de Babbage, est le seul à souligner cette parenté terminologique. Babbage, l'ingénieur, savait-il déjà ce que Turing, le logicien, formulerait ? En un sens, la machine répond d'avance à la théorie. Le critique gagnerait cependant à s'attarder davantage à l'usage de « ratiocination » dans la formule attribuée à l'inventeur. Ce nom archaïque a en effet été, au 19ᵉ siècle, un des premiers noms d'emprunt de la science-fiction.

3 Canción was a woman of almost uncouth elegance.

4 Hice surgir a Unuguay de la selva tallándolo a golpe de machete.

5 Yo soy, fui y seré Unuguay.

6 Un fan-club de l'espionne, disparue lors d'une mission en Russie en 1947, est actif à Wuppertal depuis le milieu des années soixante. Il a été fondé par son petit-fils, Gustav Buttermaul, un opérateur de machines informatiques qui travailla pour Wernher von Braun à Peenemünde. Une armée d'esclaves tirés des camps de concentration, confinés à une cité souterraine, contribuait involontairement à l'effort de guerre nazi, en servent de main-d'œuvre aux chantiers des V2. Comment s'empêcher de tracer un arc métaphorique entre ces esclaves guerriers et ceux qui s'affairaient dans les cultures caoutchoutières de la dictature perdue d'Unuguay ?

Town, œuvre de l'architecte Nicholas Hawksmoor. On sait aujourd'hui que cet architecte prolifique, qui signa les plans de centaines d'églises de Londres, était secrètement sataniste. Il conformait subrepticement l'architecture des bâtiments aux préceptes de sa foi. C'est donc dans un souterrain sataniste dont il ignorait la vocation réelle que Babbage raffinait ses protocoles de computation avec quelques mécaniciens de confiance et sa complice, lady Lovelace.

Le moteur du prototype, verrouillé à double tour, fonctionnait à l'aide de deux clefs : une clef pour démarrer l'appareil, une clef pour l'arrêter. La clef de démarrage ne quittait jamais la poche intérieure de la redingote de Babbage. À l'issue de ses séances de programmation, lady Lovelace glissait la seconde dans son bustier ou son porte-jarretelles. Babbage, qui ne tarissait pas de mots d'estime pour sa partenaire, disait à qui voulait l'entendre : « Aussi longtemps qu'elle et moi travaillons ensemble, nos ratiocinations ne connaîtront aucun arrêt[2]. »

En 1841, Babbage et lady Lovelace reçurent la visite impromptue d'Oswaldina Canción. Cette femme « d'une élégance presque obscène[3] », selon le mot de Lovelace, se présenta comme l'épouse d'un riche caoutchoutier de l'Unuguay, Alfredo Canción. L'Unuguay, cette minuscule principauté insulaire située au nord-est de l'Uruguay, près de la côte orientale du Brésil, fut fondé « à coups de machette[4] » par le dictateur Rodrigo Tropel Melinero en 1836. Le territoire de l'Unuguay renfermait une des plus grandes réserves d'arbres caoutchoutiers d'Amérique du Sud. Ce lieutenant de l'armée uruguayenne, qui s'était caché là au retour d'une mission d'espionnage au Brésil, dirigea une expédition contre les Indiens guaranis qui habitaient la région, soumettant les survivants à l'esclavage et au concubinage. Il fit construire un « palais de bambou » au milieu de la jungle, où ses sujets — mercenaires et femmes faciles recrutés dans les taverdes et les bordels de Montevideo — devaient le vénérer comme un dieu. Il rédigea une constitution, qui se résumait à cette seule phrase, inscrite à l'encre de coco sur une feuille d'arbre caoutchoutier : « Je suis, j'ai été, je serai l'Unuguay[5]. »

Oswaldina Canción affirma avoir eu vent du projet de Babbage et proposa un investissement, moyennant une visite au laboratoire. Canción était en fait l'identité d'emprunt de l'espionne allemande Eva Buttermaul[6]. Son amoralité et son élégance n'étaient pas ses seuls atouts. Sa redoutable réputation tenait également à une étrange faculté. Bien qu'elle n'ait eu qu'une formation sommaire, au Gymnasium de Wuppertal, en électricité et en opération des machines, frau Buttermaul pouvait, d'un coup d'œil, reconstituer les plans des mécaniques les plus complexes.

On croit que Lovelace et frau Buttermaul ont été amantes et que cette dernière subtilisa la clef d'Ada, ainsi que quelques-unes de ses cartes à perforer, à la faveur de confidences sur l'oreiller. Qui plus est, Ada avait l'habitude d'emprunter sa clef de démarrage à Babbage, souvent occupé en ville à discuter avec des investisseurs potentiels ou des techniciens spécialisés. Buttermaul put obtenir un double de la clef en empruntant subrepticement l'ustensile à Ada, absorbée par ses calculs, pour la faire copier par le serrurier local. Les admirateurs de Buttermaul, amoureux impossibles qui ne reconnaissent son libertinage qu'avec la plus grande difficulté, soutiennent plutôt que Buttermaul appliqua simplement, d'un coup d'œil, son don d'analyse aux deux clefs entrevues au revers du manteau de Babbage et dans le bustier de Lovelace.

L'intimité d'Ada Lovelace et d'Eva Buttermaul contribue à expliquer la présence, dans la forêt amazonienne d'Unuguay, d'un prototype de la machine différentielle. Le régime de Tropel tomba après cinq ans, durée de vie tout de même surprenante pour une dictature aussi ténue : une poignée de pirates régnant dans un palais de bambou sur quelques indigènes et des prostituées. Tropel avait fait couler un navire brésilien, le *Machado,* en partance pour l'Angleterre, chargé d'un stock de caoutchouc qui devait servir à la confection des balles de golf du prince d'Écosse, des souliers de course de la famille royale, des semelles de bottes des *Beefeaters* de Buckingham et d'un matelas expérimental destiné à rectifier la scoliose de la princesse de Galles. Tropel, en éliminant ainsi la compétition, comptait offrir ses marchandises au royaume d'Angleterre à des prix inabordables.

La mégalomanie de Tropel allait lui coûter cher. Dans la semaine du 24 juin 1846, l'amirauté anglaise déclencha l'assaut sur le royaume insulaire, rangeant Tropel au rang des barbares dont la Grande-Bretagne devait disposer une fois pour toutes. Les troupes anglaises qui prirent le palais de Tropel découvrirent l'appareil au fond de la cour intérieure du palais, qui compilait vainement des trajectoires balistiques pour les tirs des canons d'une guerre future. Cet arsenal ne sortirait jamais des fonderies inexistantes de la dictature de bambou.

La clef d'Ada reposait, sur le bureau de Tropel, dans le même écrin que celui qui contenait les clefs de bois du palais. Elliot Goldentworp, le capitaine du HMS *Nostromo,* navire enseigne de la flotte de guerre, mit Tropel aux fers et l'obligea à assister à la destruction de son île sous le tir des canons. Le capitaine en fit un jeu cruel, annonçant l'objectif de chaque salve. Il dirigeait, grâce à la radio de bord et avec un malin plaisir, la chorégraphie de sa flotte. Buttermaul apparut sur le pont, dans le costume d'une infirmière anglaise, au moment où Goldentworp ordonna de viser le jardin intérieur et la machine. Elle disait s'appeler Louise Blimp. Il faut se souvenir, en se penchant sur cette anecdote historique, que Goldentworp ignorait tout des travaux anglais de Babbage. Le rôle de l'espionne dans l'affaire n'est pas clair. Elle avait peut-être joué les agents doubles, afin de compliquer la mise à son bon plaisir.

L'officier de pont, Owen Graves, affirma que, quand la machine à calculer explosa, Tropel partagea un méchant sourire avec l'espionne. On croit qu'elle l'aida, au cours de la nuit, à s'enfuir à bord d'un canot de sauvetage expérimental fabriqué en caoutchouc. Il disparut en mer. Dans son souterrain de Londres, l'engin de Babbage finit par mourir d'épuisement. Il fut finalement démantelé par Scotland Yard. Les journaux et la correspondance de Babbage et de Lovelace ne font aucune mention de ce fâcheux incident, et l'État anglais refuse de confirmer la véracité de ces faits.

Clou transcanadien
Extraits de patience

Shohei Hiyama était un Sino-Japonais que ses compagnons ignorants prenaient pour un Chinois et appelaient mister Chang. Il servait de cuisinier aux Steam Boys (ou « Garçons vapeur »), babélienne équipe d'enfoncement de pieux de Kelowna, recrutée parmi les autochtones et les immigrants de la région.

Ce clou, identique à tous ceux qui, « d'un océan à l'autre », retiennent les rails du chemin de fer du Canadien Pacifique, traînait dans la ville fantôme de Mechanic, dans la vallée de l'Okanagan, en Colombie-Britannique. Les rails du chemin de fer national, pourtant, ne passent pas là. On peut

1 思 = 田 + 心

2 I'll find my secret mountain all alone and as many as you are can all go ahead and boil your shoe soles and eat them with tiny rocks at the present time.

déchiffrer les initiales sʙ, à demi effacées par la rouille, dans la tête du clou, ainsi qu'un idéogramme sino-japonais, *shi* (恩), où la représentation d'un champ, *den* (田), couve celle d'un cœur, *shin* (心)'. Ce signe désigne une « intelligence du cœur », situant le siège fertile de l'esprit non pas dans la tête, mais au centre symbolique de nos corps. Les initiales sont le monogramme des Steam Boys.

Un incident gastronomique, à l'été 1889, mena à la défection d'Hiyama. Plusieurs journaliers s'étaient plaints de la récurrence d'un seul menu : l'amalgame de patates, de viande et d'un légume complémentaire que les Irlandais appellent *shepherd's pie,* les Bretons « hachis Parmentier », et les Canadiens français « pâté chinois ». Ces derniers honorent ainsi la mémoire des inventifs cuisiniers des chantiers transcanadiens.

On croyait qu'Hiyama ne parlait pas un mot d'anglais. Le jour où il n'en put plus d'encaisser les plaintes sur sa cuisine, il agita son clou autographié comme un sceptre et cracha aux pieds de la troupe assemblée, criant qu'il trouverait seul sa « montagne secrète » et que les journaliers pouvaient bien « faire bouillir leurs semelles et les manger avec de petits cailloux à partir de maintenant[2] ».

Le contremaître le fit fouetter et le ligota sur un rail. Au matin, Hiyama avait disparu avec deux mulets, Bartholomew et Cyril, chargés d'outils et de clous. On fit poster, dans tous les villages environnants, une notice affichant : WANTED : RAILWAY CHANG.

Une troupe de géologues amateurs, en 1909, découvrit le clou solitaire, gisant à proximité d'un rail artisanal. Celui-ci mène à l'entrée d'une mine de charbon à peine excavée, où des branches d'arbre mal équarries servent de plinthes. L'affaissement du plafond a dû coûter la vie au cuisinier passionné, dont les ossements introuvables furent sans doute réduits en poussière de cailloux. Son âme s'est amalgamée à la terre où elle cherchait fortune. Nous ne pouvons qu'espérer qu'elle repose enfin en paix au cœur impassible de la montagne.

Cœur fusible, 1951
Collection de Prague

Ce boîtier contenait jadis un des fusibles du type utilisé dans les machines à calculer industrielles de seconde génération. Le fusible animait le témoin clignotant du système d'alarme de la mairie de Dundas, en Ontario. David Eckel, le gardien de nuit, qui s'occupait en lisant des ouvrages pratiques, avait grandement approfondi sa connaissance des finales d'échecs, des mots croisés et des énigmes logiques et mathématiques depuis qu'il occupait cet emploi. Un jour, il rapporta à son superviseur qu'il croyait que la lampe surplombant de son rouge regard cyclopéen l'entrée principale de la mairie tentait de communiquer avec lui en morse, et que, si on y regardait bien, on constatait rapidement qu'elle était même capable d'articuler des phrases complexes. Connaissant le caractère fantasque de cet ex-étudiant en philosophie, son superviseur n'en fit que peu de cas.

1 Robert Musil, *Der Mann ohne Eigenschaften*, Leipzig, Rowohlt Verlag, 1930 et 1942.

2 Never forget that love can appear and disappear in the blink of an eye.

La lampe raconta à Eckel sa venue au monde et ses débuts dans la vie, alors qu'elle animait une des paupières d'un robot anthropomorphique, l'ANIAC, un prototype de la taille d'un immeuble construit par l'armée américaine. Peu à peu, elle se révéla à lui, lui confiant comment elle s'était retrouvée à Dundas au hasard d'une liquidation d'équipement militaire. Eckel, bien sûr, eut d'abord de la difficulté à la comprendre : elle aimait particulièrement réciter des vers, les incipits célèbres de *La Divina Commedia*, de *Finnegans Wake* ou de *L'homme sans particularités*[1].

À noter que le surveillant précédent, doté des aptitudes psychologiques nécessaires au soutien d'une telle monotonie, avait été un étudiant en littérature, qui profitait de la solitude de la mairie pour lire à voix haute.

Eckel tenta de communiquer avec la lampe en tapotant des messages du bout d'un crayon à mine. Elle demeura d'abord insensible à ses communications. Quelques semaines plus tard, il découvrit que la chaleur de sa main, refermée sur son tétin lumineux, déclenchait chez elle une réaction.

Selon les dires de sa mère incrédule, dont il continuait à hanter le sous-sol malgré ses vingt-quatre ans, le gardien de nuit tomba amoureux, démonta le système d'alarme, construisit un dispositif d'alimentation portatif et, croit-on, abandonna son poste pour fuir avec la lampe. Sur le comptoir de la réception, il avait posé le boîtier du fusible, comme l'écrin d'un anneau de mariage, et laissé une note : « Ne jamais oublier que l'amour peut apparaître et disparaître en un clin d'œil[2]. »

Coffre du chêne
Extraits de patience

Ce coffre de bois poli et ciré provient d'un chêne de la forêt de Skule, qui servit longtemps de repaire aux pires brigands, hors-la-loi et vagabonds de Suède. Il fut retiré d'un arbre creux, dont il épousait parfaitement les contours. L'équipe de bûcherons qui s'apprêtait à abattre l'arbre, entendant un piaillement, crut qu'une famille d'oiseaux nichait dans la ramure.

En tentant d'identifier l'origine de ce bruit étouffé, ils constatèrent qu'il semblait venir de l'intérieur de l'arbre. C'est alors que Nils Trunströmer, un jeune bûcheron de dix-huit ans que le destin avait marqué

1 Det var som om fågelsång hade format lådans konturer.

2 En fågel, himmelskt blå.

3 Blåa ekens gäng

de son sceau, aperçut les contours du coffre, discret comme un nœud dans l'écorce. « Ce fut comme si le chant d'oiseau avait fait apparaître les contours de la boîte[1]. »

Le coffre, aux dires des bûcherons, ne semblait avoir été travaillé par aucun outil. Ils parvinrent à l'ouvrir en glissant une simple brindille dans sa serrure. Ils croyaient avoir déniché un des trésors des brigands. À l'intérieur, ils découvrirent un nid abritant deux œufs cassés : dans le premier, un oisillon mort, recroquevillé sur lui-même ; dans l'autre, son frère vivant, plumé, « un oiseau d'un bleu parfait[2] », qui s'envola aussitôt.

Nombreux sont les habitants de la forêt de Skule qui jurèrent avoir revu cet oiseau bleu. Les bûcherons qui l'apercevaient nouaient un ruban bleu à la branche la plus basse de l'arbre où il se posait, et on excluait le tronc ainsi marqué de la coupe. Après cinq années de cette délicate tradition, on découvrit que les arbres noués de bleu indiquaient le chemin à suivre pour rejoindre la cachette des voleurs, maintenant désertée. Le jour où les bûcherons sans le sou parvinrent au campement abandonné, Nils Trunströmer, qui avait conservé le coffre, constata qu'il était rempli de pièces d'or. Ce jour-là, il se résolut à devenir le « Robin des bois du Nord », leader de la Bande du Chêne Bleu[3], figure héroïque d'un socialisme embryonnaire.

Confiserie spatiale, 1977
Collection de Prague

Ce bonbon mexicain, de confection traditionnelle, est un amalgame de la pulpe broyée d'un insecte et de gelée de fruits.

Les bonbons d'Estelita Cortázar, confiseuse du village de San Sebastián Bernal, née en 1959 dans l'État

1 Le monticule sacré, inselberg de grès rouge échoué
au milieu du Territoire-
du-Nord, est maintenant
connu sous le nom abori-
gène d'Uluru.

2 Sentirse mal por comer
insectos no es sino una
cuestión de vocabulario
y no de gusto.

du Michoacán, avaient grande réputation pour leur saveur unique. Elle avait d'ailleurs gagné à plusieurs reprises le Grand Prix des confiseurs de l'État de Querétaro.

La Peña de Bernal est un étrange massif rocheux, second inselberg du monde après Ayers Rock[1], en Australie, s'élève à un pas de la ville. Les villageois y reconnaissent la silhouette d'animaux mythiques, et la pierre est réputée attirer des « visiteurs du ciel », présences lumineuses qui, certaines nuits, jouent à son faîte.

Cortázar avait pris l'habitude de glisser de la matière d'insecte dans ses bonbons sous prétexte qu'il fallait « goûter à la diversité du monde jusque dans le moindre de ses détails ». Combien de vacanciers insouciants se sont baladés au pied de la Peña, se régalant de ses confiseries, sans savoir qu'ils dégustaient un insecte ?

Cortázar était née dans la pauvreté, d'une mère lavandière et d'un père inconnu. Elle affirmait à qui voulait l'entendre que son père était une des lumières de la Peña, descendue du ciel pour lui donner naissance et la doter de ses dons culinaires. Elle avoua, quand on exposa sa recette, qu'elle aimait jouer des tours aux fortunés, sûrs de leurs droits, et que, s'ils se sentaient mal d'avoir mangé de l'insecte, ce n'était encore « qu'une question de vocabulaire, et non de goût[2] ».

Un jour, Cortázar oublia de moudre un des insectes. Au retour de ses vacances, Anton Dreyfus, un géologue de Devils Corner, au Wisconsin, découvrit un insecte préservé dans un des bonbons de la boîte-cadeau qu'il avait ramenée pour sa mère hospitalisée. Visible, comme un fossile dans une goutte d'ambre, au milieu de la gelée, l'insecte au corps lisse et clair, les yeux en amande, était lové au creux de ses six pattes. Il ne correspond à aucune des 900 000 espèces connues qui partagent cette planète avec nous. Talker, le chien de Dreyfus, digéra le bonbon avant vérification expérimentale, et le professeur de géologie acquit la réputation d'illuminé, ce qui lui coûta son emploi.

Corps typographique, 1977
Collection de Prague

« La loupe est l'apanage commun du détective et du typographe. » Ce compte-fils a appartenu à Timothée de Brèche, poète et typographe lyonnais, auteur d'un seul ouvrage, l'inclassable *Corps typographique, un roman blanc*, dont cette phrase constitue l'incipit. De Brèche republia l'ouvrage à quatre reprises, dans des éditions augmentées, en 1967, 1972, 1976 et 1977, date de sa disparition. Les trois premières éditions furent publiées, dans de petits tirages, par les éditions Franches, à Paris, un éditeur d'art spécialisé dans la poésie lettriste.

1 Jean-Claude Brume,
Usages horizontaux, Paris,
L'esperluette & Cie, 1989.

L'unique livre de Timothée de Brèche commence par le conte d'un personnage, Antoine E., qui dispa-raît « sitôt qu'il ouvre la bouche pour parler, comme si ses yeux, jaloux de sa parole, se refermaient alors sur lui ». Un détective privé à la solde de l'auteur, l'Agent notionnel, tente de capter l'image du fuyard. Chaque chapitre constitue un « rapport » adressé à l'auteur.

La simplicité de la structure, sorte de degré zéro du roman noir, contraste avec sa complexité stylis-tique. *Corps typographique* est écrit dans un langage doublement codé. La grammaire et la syntaxe, de chapitre en chapitre, subissent des traitements de plus en plus retors. La typographie gagne en densité et s'embrouille, jusqu'à une perte de lisibilité totale. Les chapitres ajoutés à l'édition de 1977 sont des imbroglios indéchiffrables de signes typographiques, véritables nuages d'encre où l'on peine à identifier les contours d'une lettre. La page finale est composée de 300 points de suspension, d'une virgule et d'une unique barre oblique.

Il n'existe aucune photographie de de Brèche et on connaît fort peu de détails sur sa vie. Les commentateurs de l'œuvre décodent en *Corps typographique* une « autobiographie totale », où l'auteur se serait « retiré dans ses papiers et couché par écrit, comme on s'allonge sur la couche de l'amante, le divan du psychanalyste ou le cercueil final'». Le langage, « devenu image, puis plus rien », perd peu à peu son sens et nous « rappelle à son énigme ». Dans sa chasse d'Antoine E., l'Agent notionnel traquerait en fait l'image fuyante de de Brèche, « disparu dans son travail, effacé à sa suite ». L'Agent notionnel ne rattrapera pas cette image, évanouie comme un reflet quand on se détourne du miroir. L'énigme de de Brèche demeurera entière, et « le désir de savoir cèdera peu à peu le pas à un mystère sans questions ».

Cosmomontre, 1957
Collection de Prague

Cette montre de gousset de marque Admiral a voyagé avec Laïka, la « chienne de l'espace », autour de l'orbite terrestre. Elle figure, à côté des appareils de mesure de l'agence spatiale russe, dans l'inventaire de *Spoutnik* 2. Rappelons que la capsule contenant la dépouille carbonisée de la cosmonaute canine s'est échouée dans les plaines de l'Oural, jonchées des ruines et des épaves du programme spatial, près de Vladivostok, en 1957.

On croit que la montre entra en contrebande en Russie par les soins d'un agent double du KGB. En

1 It was as if Michelson sought to return his discovery to the order of the mundane.

2 Вознаграждение, которое милее любой медали.

mission à Londres, il l'avait acquise à l'encan sous le nom d'emprunt de Jack Steptree. Elle avait appartenu à Edward Morley, physicien qui, avec son collègue Albert Abraham Michelson, ourdit l'expérience qui constitue la première preuve expérimentale de la relativité d'Einstein. Alors qu'un rayon de lumière allait et venait entre deux miroirs, Morley ne cessait de consulter cette montre de poche ordinaire. C'était « comme s'il cherchait à ramener sa découverte à l'ordre du quotidien[1]. »

Le général de division Igor Zvonoplechov l'offrit à Alekseï Arkhipovitch Leonov quand il fut sélectionné pour devenir le premier cosmonaute. Il perdrait ce privilège au profit de Iouri Gagarine. Comment cette « récompense plus belle que n'importe quelle médaille[2] » se retrouva dans la capsule avec la chienne demeure mystérieux. On peut cependant apprécier la justesse de ce don à celle qui fut la première à éprouver l'élasticité du temps.

La montre, dont la mécanique défaillante s'était enrayée, marquait une minute de retard par rapport au moment du décollage. Ce détail de teneur poétique émut Leontov, qui eut ces paroles philosophiques : « Une minute avant que le monde ne change et ne s'oublie derrière[3]. »

Culbuteur de l'Everest
Extraits de patience

Cette figurine à corps de feutre et tête de plomb accompagna Francis Maldrop dans son ascension de l'Everest. Celui-ci le lâcha du sommet en l'honneur de son petit frère hydrocéphale, Richard, qui ne se lassait pas de le voir culbuter le long de l'escalier.

Maldrop, un catholique réformé, se confia à son sherpa, Salman Adhikari : « Si je peux atteindre le

3 За минуту до того как мир меняется и впадает в беспамятство.

75

sommet, et que le jouet peut toucher à la racine de la montagne, alors deux impossibilités seront réunies, et mon frère pourra enfin être lui-même, ici sur terre ou au ciel qui l'emportera[1]. »

Quand Maldrop lâcha le petit personnage sur la pente, il s'envola dans la bourrasque malgré sa tête de plomb. Il disparut derrière un nuage devant l'expédition étonnée.

Un quidam endormi sur la pente du mont Royal, à Montréal, le retrouva dans la poche droite de son veston, au milieu des fleurs qu'il avait paresseusement cueillies par ce dimanche après-midi. On sut que le jouet avait connu les pentes de l'Everest grâce à l'étiquette de l'expédition cousue à son dos, où apparaissait l'adresse du bureau londonien des opérations.

D

Dentier du père Noël
Collection du miroir

L'empreinte en négatif conservée par ce biscuit est d'un intérêt particulier. Les contours de la morsure ont été identifiés en 1899 par Sam Marwinkle de la police de New York comme caractéristiques des dentiers de bois en usage au 18ᵉ siècle.

Trois biscuits furent disposés sur une assiette laissée sur le manteau de la cheminée du domicile des Baum à Chittenango, New York, par le jeune Lyman Frank, huit ans, la veille de Noël 1863. Les autorités n'ont pu relever aucune empreinte digitale, le traditionnel verre de lait ayant été ignoré. Un des biscuits n'était pas de la variété choisie par le petit Lyman Frank.

Vingt ans plus tard, Baum évoque l'incident dans une lettre adressée à Dorothea Cramberg de Wichita, au Kansas :

[1] If I can reach the summit, and the toy the base of the peak, then two impossibilities will be united, and my brother can at last become himself, here on earth or up in the heavens that carry us upwards.

[1] These biscuits are impossible to find in the Confederation. If Egon, the Norse friend I mentioned, had not sent me a packet for the holidays, I would never have known why I wrote *The Life and Adventures of Santa Claus.* You will agree, I am sure, that this sign — for I consider it as such — is not devoid of character...

76

Ces biscuits sont introuvables dans la Confédération. Si Egon, l'ami norvégien dont je vous ai parlé, ne m'en avait pas envoyé un paquet pour les fêtes, je n'aurais jamais su pourquoi j'ai écrit The Life and Adventures of Santa Claus. *Vous m'accorderez que ce signe — je le considère comme tel — ne manque pas de caractère...'*

Destins chinois
Extraits de patience

Un représentant colombien de la compagnie pétrolière Shell (qui a préféré garder l'anonymat) a trouvé cette bouteille, jetée dans la mer Baltique, au large de Saint-Pétersbourg, en s'acheminant en hors-bord vers une plateforme de forage. Il la vendit plus tard à un marchand des bazars d'Istanbul.

La bouteille, vidée du jus de poire italien de marque Verona qu'elle contenait jadis, renfermait une vingtaine de « destins chinois », ces petits bouts de papier où des formules sibyllines, imprimées à l'encre bleue ou rouge, nous informent, à l'issue de nos repas, des comportements à adopter pour la suite des choses. La plupart d'entre nous sont conscients que ces destins de papier, rédigés en série par des écriveurs de fortune avant d'être insérés dans la pâte des biscuits dits chinois, n'ont pas grand-chose de singulier. Ils se contentent de généralités vaguement exotiques, qui peuvent aisément s'appliquer à la vie de tous, sauf les plus malchanceux. Ceux qui ont foi en ces augures doivent nécessairement conclure que nos destins nous préexistent et qu'il est possible à d'autres que nous-mêmes de nous éclairer sur eux. Doit-on pour autant penser que nous n'existons jamais seuls? Ou que notre existence est moins réelle parce que nous partageons certains traits avec nos semblables?

1 You will dream of ships. You will find happiness in them. And you will meet your end in them.

? You will inventory friendships lost as soon as they are found.

Cette vingtaine de destins chinois ont cette particularité d'être véritablement uniques. Un des messages se lisait comme suit : « Vous rêverez de navires. Vous y trouverez le bonheur. Vous y trouverez votre fin[1]. » Un ami du pétrolier, le marin libanais Abdel Bashir, longtemps capitaine de navires d'emprunt, mourut noyé dans le naufrage du premier vapeur qu'il eut les moyens d'acquérir, le *Lapis*. Ce deuil mena notre homme à croire à la fatalité des vingt destins qu'il avait en main et à devenir obsédé par la nécessité de retrouver les dix-neuf prédestinés.

Le représentant anonyme de Shell prétendit, en livrant la bouteille à Al Farah, qu'il avait maintenant croisé, au cours de ses nombreux voyages, tous ceux que désignaient ces destins, et que la bouteille n'avait jamais menti. Cet homme auréolé de mélancolie lui conta comment il avait voyagé autour du monde, à la rencontre de dix-neuf morts, arrivant toujours trop tard pour détourner le cours des choses. Il tendit la bouteille au marchand touché par le récit, sans accepter sa monnaie, affirmant simplement qu'il avait maintenant compris, après des années d'attente, que le vingtième destin ne s'appliquait qu'à lui : « Vous ferez l'inventaire d'amitiés aussitôt perdues[2]. »

Disque paranoïaque, 1972
Collection de Prague

Ce disque dur, branché à une machine compatible, fait entendre, encore et encore, les accents d'un cor. Il contient des informations cryptées, qui semblent être les données d'un système d'adresses universel, permettant d'attribuer un code postal à n'importe quel emplacement du monde, sans tenir compte des frontières nationales.

L'usager est invité à attribuer chaque ensemble de données à des « facteurs » identifiés par une séquence de dix chiffres, à la manière d'un numéro téléphonique. Le nombre total de ces identités cryptées correspond à la population additionnée des États de la Californie du Nord, de l'Oregon et de Washington, et de la province canadienne de Colombie-Britannique, selon les statistiques gouvernementales pour 1971. Ensemble, ces États dessinent les contours de la république proposée de Cascadia, dont les tenants réclament l'autonomie politique au nom de son unité écologique et spirituelle.

Le circuit imprimé est mentionné et reproduit photographiquement dans l'article « Silicon U », publié dans le *San Francisco Chronicle* du 30 avril 1972. Cet article, attribué à l'agence internationale Reuters, n'est pourtant paru que dans ce journal. Il s'agit d'un dossier du cahier des affaires consacré aux partenariats de recherche technoscientifique entre l'Université de Californie à Berkeley et certaines compagnies de la Silicon Valley. On mentionne au passage les travaux que le professeur Tyrone Breadwurst aurait consacrés au circuit à la demande conjointe de la CIA et de la compagnie IBM. L'expert soutient que le circuit contient l'ébauche d'un système postal parallèle, peut-être celui de la contrée potentielle de Cascadia. Breadwurst explique ensuite que les indépendantistes cascadiens forment davantage une communauté d'esprit qu'un mouvement politique organisé, et que la correspondance des données du système avec des objets ou des personnes réels demeure ambiguë. Il soupçonne que ce message, par trop évident, cache un métacode, dont la clef échappe encore à son équipe de décryptage, bien que la répétition du motif <, signe d'inégalité, V penché sur son flanc ou cornet sonore, semble promettre une solution prochaine.

La CIA et IBM, alertés par leur association à la dépêche, ont permis d'établir que Reuters n'a jamais fait circuler d'article intitulé « Silicon U », qu'il n'y a jamais eu de professeur Tyrone Breadwurst à l'emploi de UC Berkeley, et qu'ils n'ont jamais vu ou touché le circuit reproduit dans l'article. Les représentants de la CIA et de la compagnie informatique ont par contre avoué que ses volutes de cuivre dessinent l'emplacement exact du bureau de décryptage des services secrets dans un parc industriel de la Silicon Valley.

Doigtier arachnéen
Extraits de patience

1 « Pavoučí muž » pour la population tchèque, « der Spinnenknabe » pour les germanophones.

2 *Eine Studie der Flora und Fauna der australen Halbkugel*

3 Alethesia flieht schnellfüßig und ich sterbe, gesättigt von unseren tödlichen Tollen.

Cet index de caoutchouc coiffait une des pattes de Mère Salomé, une araignée géante originaire de la forêt amazonienne, domestiquée par le baron Rudolf Drangstelzer de Prague, surnommé l'« homme-araignée[1] ». Ce naturaliste, qui s'aventurait chaque année dans la forêt amazonienne, ne rentrait jamais chez lui avant d'avoir identifié une espèce nouvelle de la faune ou de la flore.

Drangstelzer vivait seul avec Mère Salomé et une domestique, Alethesia Fiddleyarn, une mulâtre originaire de Rio qu'il avait ramenée du même voyage et « naturalisée ». Il passait le plus clair de son temps isolé parmi ses livres et ses spécimens, à rédiger son *Étude des mœurs animales et végétales de l'hémisphère austral*[2], qu'il n'achèverait pas. L'araignée courait, le jour durant, parmi ses papiers, ses huit pattes couronnées de caoutchouc.

Le baron avait davantage commerce avec son araignée qu'avec une quelconque personne humaine. Lors de ses présentations à l'Académie royale des sciences de Prague, il faisait tourner les pages à sa compagne à l'index de caoutchouc. Le spectacle insolite du baron barbu, accompagné par son araignée tourneuse de pages, expliquant que le venin de Mère Salomé était un aphrodisiaque aux propriétés mortelles induisant chez sa victime une folie copulatoire provoquant l'épuisement éventuel de tous les sucs corporels, était constamment (et coquinement) évoqué dans les cercles mondains de la ville. Il valut à Drangstelzer son sobriquet.

On retrouva la dépouille desséchée de Drangstelzer affalée sur ses papiers. Fiddleyarn s'était éclipsée de Prague. On la soupçonna d'avoir intentionnellement libéré la bête des doigtiers, peut-être pour rendre à son maître la monnaie de son droit de cuissage. L'araignée reposait dans la chambre abandonnée du baron, parmi ses draps défaits. Drangstelzer avait gribouillé une dernière phrase sur le manuscrit de son *Étude* : « Alethesia s'enfuit à toutes jambes, et je meurs repu de nos mortels ébats[3]. »

Échiquier d'échec
Extraits de patience

Nathaniel Hawthorne, lors d'une visite à Herman Melville, alors employé au Bureau des douanes du port de Manhattan, lui offrit ce plateau d'échecs orné de deux baleines, sans aucun doute afin de consoler son ami de l'insuccès commercial et critique de son chef-d'œuvre, *Moby-Dick*.

Les amis entamèrent une partie qui se solda en un match nul, où roi et reine noirs auraient pu poursuivre à jamais roi et reine blancs. La configuration résultante resta en place jusqu'au déménagement du Bureau. Les collègues de Melville rapportent qu'il refusait les invitations à jouer avec les paroles lesquelles Bartleby, reclus de Wall Street muré dans un

1 I would prefer not to.

refus infini, répondait à tout ce que la vie lui offrait :
« Je préférerais ne pas'. »

Engrenage divin, 1968
Collection de Prague

1 Zvon se vrátil zpátky na oblohu a hodiny se rozply-nuly ve větru.

2 Nechápete, že to jsou oni kdo jsou na straně oblohy.

Chaque flocon de neige est unique. Celui-ci, mira-culeusement conservé dans un globe de verre, l'est peut-être encore plus.

Il tomba sur le village de Kilián, à quelques milles au sud de la capitale tchèque, en janvier 1968, lors d'une des premières manifestations du printemps de Prague, violemment réprimée par la vingtaine de sol-dats de la milice locale et leur char d'assaut. Dans la confusion, le tank décocha un tir d'artillerie vers le clocher de l'église et fit exploser, avec un *bong* toni-truant, l'horloge monumentale et la cloche de bronze.

Il neigeait ce jour-là. Les villageois, qui s'atten-daient à une pluie de métal, s'accordent pour décrire le miracle : le métal de la cloche et celui de l'horloge se dissipèrent dans la douceur des neiges. Selon le mot poétique d'un des militants, « la cloche retourna droit au ciel et l'horloge disparut dans la température' ».

L'histoire sainte nous a habitués aux averses de grenouilles ou de manne, mais ce miracle est plus étrange encore. Ogden Vàlkazen, le vieil horloger du village, ermite et esthète, toujours croyant malgré le communisme, et toujours en retrait des affaires quotidiennes du village, se tenait alors sur le pas de sa boutique, constatant avec tristesse les différences civiles. Il cueillit un flocon au creux de sa paume.

Celui-ci avait la forme exacte d'une roue d'engre-nage. Vàlkazen réussit, par un subtil processus d'orfèvrerie, à le sertir dans un globe de verre, qu'il alla poser sur le bureau du maire, dans un geste de solidarité pour la population trompée. Il eut ce mot, en posant son geste : «Vous ne comprenez pas que ce sont eux qui sont solidaires du ciel[2].» Le maire, croyant que Vàlkazen parlait des flocons, ne saisit pas, de toute évidence, le sens détourné de cette offrande. Le globe de verre et son flocon unique trônèrent sur son bureau, lui servant de presse-papier jusqu'à son congédiement par le parti.

Éponge ectoplasmique
Extraits de patience

Ce corps solide et spongieux, qu'on peut aisément confondre avec une éponge aquatique, est le résidu d'un ectoplasme vomi par la médium irlandaise Ashley Atalanta, née Virginia Sexton. Son salon spirite était couru par la bourgeoisie de Dublin, qui s'y rendait pour discuter avec les trépassés qui empruntaient la voix d'Atalanta.

1 She stood up like a tot taking her first tentative steps.

2 I never understood by what base trickery this sponge spoke through me.

Ce minuscule ectoplasme se manifesta au printemps 1911, alors qu'Atalanta canalisait les énergies d'une jeune mère, Deirdre Lang, dont le premier-né était mort de tuberculose à l'âge de trois ans, un jour après avoir prononcé pour la première fois le mot « mama ». Doublement affligée, la femme avait perdu, plus tôt cette année-là, son mari marin dans un naufrage. Elle avait investi ce qui lui restait de sa dot dans une visite chez la spirite.

Contrairement au scénario habituel, où une conversation gutturale suivait un éclat de lumière au parfum de soufre, la masse spongieuse tomba, sous une forme gélatineuse, au milieu de la table de la médium. L'entité astrale se solidifia en quelques minutes, laissant apparaître un corps spongieux, qui entreprit dès lors de se redresser, «comme un bambin qui tente ses premiers pas[1]». Atalanta, les yeux fermés, la bouche grande ouverte, pleurnichait

83

comme une enfant. D'un geste décisif, Lang, qui elle aussi pleurait à chaudes larmes, saisit l'éponge, sous le regard étonné des bourgeois assemblés là, l'emballa dans son châle et s'en fut chez elle en criant que son enfant était de nouveau né. « Mommy Deirdre » se postait, chaque jour, près de Dublin Square, où elle berçait son éponge langée.

Quelques années plus tard, mademoiselle Atalanta abandonna sa pratique pour se marier avec le comte Orlov, un Hongrois qui avait fait fortune dans la verrerie. Dans son journal personnel, elle avoue n'avoir « jamais compris par quelle basse supercherie cette éponge passa en elle[2] ».

Essieu perpétuel, 1944
Collection de Prague

1 Clocks confine the stream of time.

2 An incomprehensible timepiece, suspended in a multicoloured egg; perhaps it was a perpetual motion machine.

« Les horloges endiguent le flot du temps[1]. » Ces paroles attribuées à l'ingénieur des mines Alfred Feynheimer s'appliquent à l'archaïque mécanique qu'il contribua à exhumer, en 1944, des sables du désert Mojave, dans les zones de tests nucléaires à proximité de Los Alamos, au Nouveau-Mexique.

Feynheimer, un ingénieur des mines, était alors à la solde de l'armée américaine. Il dirigeait l'excavation des tunnels visant à observer les effets souterrains des détonations nucléaires. Les pics des mineurs découvraient des masses de pierre vitrifiée, façonnées par la force des explosions, striées de couleurs indescriptibles, dont ils devaient taire l'existence. Dans son témoignage, Feynheimer décrit ces étranges formations de verre comme des fragments détachés de paysages interplanétaires.

Les autorités ordonnèrent le forage et le démantèlement d'une des masses, où apparaissaient en palimpseste les contours sombres d'un objet gigantesque. Dans cet œuf de verre multicolore, on découvrit une mécanique archaïque. L'armée en supervisa la reconstruction dans un hangar en surface. On conclut que le dispositif était une sorte d'horloge au temps long, conçue pour calculer, d'après la position des étoiles fixes, l'écoulement des éons et des siècles terrestres.

De nombreuses pièces de la mécanique furent empochées par les ouvriers, que l'étrangeté de leur mandat animait d'un esprit mutin. Feynheimer suppose que l'appareil était d'origine extraterrestre. Il rapporte qu'il marquait, au moment de sa découverte, le temps exact écoulé entre l'apparition de l'homme et la première détonation nucléaire.

Ces visions d'outre-monde allaient coûter la vie à la plupart des travailleurs de l'équipe, atteints de divers cancers. Pour contrer les effets de la radiation, on soumit Feynheimer et ses collègues à un traitement diurétique : on les mit en quarantaine et on les gava d'eau et de bière afin qu'ils urinent les substances nocives entrées dans leur corps. Le témoignage de Feynheimer est extrait de la bande-son réalisée par l'équipe de surveillance de la police militaire. On l'entend y parler, en accents enivrés, d'« une horloge incompréhensible, suspendue dans un œuf de verre multicolore ; peut-être était-ce une mécanique à mouvement perpétuel[2] ».

Feynheimer périt d'un cancer du sein en 1948. Sa veuve, Claire Somner, intenta des poursuites contre l'armée américaine. On lui donna réparation partielle, sans admettre ses accusations. Il faut préciser que ce fragment de métal fait partie de l'inventaire de la succession de l'ingénieur minier. Oswald Greenbook, porte-parole de l'armée américaine dans cette affaire, assure qu'il s'agit de l'essieu d'un carrosse de marque Pillhauser, fabriqué en Pennsylvanie en 1944.

Étendard atlantid, 1978
Collection de Prague

Ce maillot rayé de bleu et de blanc flottait en plein milieu de l'océan Atlantique quand il a été repêché par l'équipage du HMS *Robinson*. De taille moyenne (42 selon l'échelle européenne), il aurait appartenu à un jeune marin de l'équipage, Philémon Constantin, disparu quelques jours plus tôt après une dispute avec son chef de quart, Haddoq Moriarty, autour d'une partie de Scrabble.

Cet Irlandais au tempérament volatile, tatoué de la tête aux pieds, avait redoutable réputation. Bègue et vaguement dyslexique, il se disputait sur l'épellation de chaque mot. Le conflit fatidique survint quand Haddoq plaça le mot « atlantid », dont les lettres totalisent 9 points (le *d* en valant deux), sur le plateau, annexant ses plaquettes au *d* final d'« étendard », dans le quadrant inférieur gauche de la surface de jeu, doublant la valeur du deuxième *a,* et multipliant par 3 la valeur de l'ensemble, le *a* inaugural étant disposé sur une case rouge. Haddoq épuisait ainsi toutes les lettres de son chevalet, gagnant 50 points de plus, pour un total de 80 points. Il élevait ainsi son score à 512 points contre les 504 de Constantin, dont la performance jusqu'alors avait été à proprement parler prodigieuse — mélange diversifié d'érudition et d'improvisation, témoignant d'une étonnante aisance linguistique. Il s'agit bien sûr d'un nom propre. Haddoq soutint qu'« atlantid » était bel et bien un adjectif : par exemple, on pourrait désigner une île perdue de l'Atlantique comme une « île atlantide ». La suppression du *e* dénotait l'usage masculin. L'absence d'un dictionnaire à bord du navire envenima le débat, et, si la poésie de l'invention de Haddoq est certaine, elle manque encore aujourd'hui de convaincre ces terriens de l'Académie française dans leur sanctuaire parisien.

Ce n'était pas le premier démêlé de Constantin avec les autorités paternalistes et parfois brutales du navire. Alors que son adversaire s'absentait aux toilettes, Philémon empocha le *a* auquel s'ancrait le mot. À son retour, Haddoq, furieux, la bouche remplie d'invectives colorées, menaça de le jeter à la mer et fit basculer le plateau de jeu par terre. « C'est toi qui suivras, tri-tri-cheur ! » Dans la cale, un âne se mit à hennir sans arrêt, comme s'il tentait de moduler une parole ou une plainte, et d'afficher sa solidarité avec le grief de Constantin.

Plus tard ce jour-là, le jeune homme quitta en pleine nuit le navire dans une barque de sauvetage, accompagné d'un mulet qu'il affectionnait particulièrement, d'un globe terrestre, d'un télescope et de la lettre *a* subtilisée au jeu. On ne retrouva ni le jeune homme, ni le mulet, ni le *a* perdu.

Constantin eut droit à des funérailles d'honneur, présidées par un Haddoq grognon mais tout de même repenti, qui confessa, dans un rare moment d'émotion, sa réelle admiration pour le fantasque jeune homme, « re-rêveur peu a-assorti à ses tasses », qui lui ressemblait si peu, mais, « tout-tout de même, préformait ailleurs ». Le chef de quart sculpta de nouvelles lettres de remplacement dans un morceau de bois, on admit l'usage des noms propres dans les parties de Scrabble disputées sur le navire et on fit de l'âne sur fond rayé l'étendard du vaisseau.

À bord, on raconte que le fantôme de Philémon apparut, le soir de pleine lune où on repêcha son maillot, flottant sous les mers, un globe terrestre serré comme un flotteur entre ses bras, et que le jeune homme et le mulet ont recommencé une vie plus libre sur une île « atlantide ».

Éventail d'au revoir, 1982
Collection de Prague

1 光を通って以前のモンタ
ナまで渡ることが出来な
い。

2 後で吸ってね。

Cet éventail, abandonné sur un siège du *Shin-kansen,* le train à haute vitesse reliant Tōkyō et Kyōto depuis les années soixante, aurait appartenu à l'amie japonaise de l'écrivain du quartier Big Sur, à San Francisco, Richard Brautigan, qui aimait se dire amoureux de toutes les Japonaises.

Cette actrice de théâtre nô avait fait son apprentissage à l'ancestrale école de Kanami et Zeami Motokiyo, père et fils et fondateurs du nô. S'excusant d'un malaise auprès de monsieur Brautigan, avec qui elle avait passé un week-end d'agrément à Tōkyō, elle disparut dans les toilettes du wagon pour ne plus revenir. Il ne la revit pas.

Lorsqu'elle apprit son suicide par balle, en 1984, elle quitta la répétition en trombe, encore dans son costume, pour attraper le prochain train pour Tōkyō. Elle pleura tant qu'elle en effaça son maquillage. Elle cachait son visage derrière cet éventail, modestement, alors qu'elle s'entretenait avec Yasushi Endo, un écolier portant le complet réglementaire des écoles nippones qui occupait la place voisine. Il la questionna sur sa peine, et l'entendit confier, entre ses sanglots, qu'elle maudissait ce train lambin, «incapable de traverser la lumière jusqu'au Montana, avant[1]».

Elle lui laissa un paquet de cigarettes «pour plus tard[2]», et lui demanda de veiller sur cet éventail, avant de s'éclipser une fois de plus aux toilettes. Elle n'en revint pas. On retrouva son costume, abandonné sur le sol des cabinets. Elle avait dû se mêler aux passagers anonymes, sans plus pleurer. Yasushi Endo deviendrait, quelques années plus tard, le plus populaire des travestis des théâtres underground de Tōkyō.

Feuille d'automne

Extraits de patience

Aux dires des résidents de l'hôtel des Invalides de Prague[1], cette feuille aurait orné la couverture d'un livre d'art mythique, intitulé *La chute de la ville d'automne*[2]. Chaque page de cet ouvrage unique, moitié herbier, moitié pinacothèque, est un tableau à l'huile. L'ouvrage enchaîne un lent dégradé en tons vert-de-gris, jaunâtres, ocre et rouille, reproduisant la coloration graduelle des feuilles à l'automne. Le dernier feuillet, calligraphié dans une encre terreuse, raconte, en latin, la victoire des pères fondateurs de Prague sur l'armée de femmes qui occupait autrefois les rives de la Vltava.

De nombreux convalescents se rappellent avoir consulté *La chute de la ville d'automne*. L'ouvrage, par les longues soirées de désœuvrement, passait de main en main. On ignorait qui en était l'auteur, et ce mystère mineur alimentait les discussions sur l'identité de cet artiste si talentueux.

Le photographe Josef Sudek, qui séjournait à l'hôtel des Invalides au retour du front italien, s'occupait en photographiant les résidents. Quand son travail photographique sur la ville lui attira la renommée qu'on connaît, ses anciens colocataires lui attribuèrent l'ouvrage. Sudek a démenti sa paternité. Il croyait que l'auteur était un de ses sujets photographiques, Dušan Špalek, un vétéran manchot comme lui, qui avait également perdu un bras en Italie et qui aimait écrire des vers. Avant son service, Špalek avait été peintre en bâtiment. Sudek, lui, reliait des livres.

L'ouvrage disparut du sanatorium au moment du décès du soldat. L'inventaire des possessions du mort, aux accents étrangement poétiques, mentionne une « feuille unique » et un « bandage » où on peut lire les vers suivants :

1 Invalidovna, Praha

2 *Pád města podzimu*

3 *Vojáci podzimu
stále čekají
na brázdu do které by padli.*

Les soldats d'automne
encore à attendre
une tranchée où tomber³.

Il ne resterait donc de *La chute de la ville d'automne,* cet ouvrage écrit d'une seule main par un soldat inconnu, que cette feuille ultime, détachée de sa couverture.

Feuille de foi, 1989
Collection de Prague

1 ODD: Is it possible for a soul to exist twice?

GOULD: Before mentioning the soul, even once, we should admit that we do not even possess the measure of that phenomenon.

2 GOULD: The time for verification is done.

ODD: It was always already too late.

Adalbert Odd, un mormon de l'Utah en mission à Prague après la chute du mur de Berlin, utilisait cette feuille en guise de marque-page dans sa copie personnelle de la Bible. À l'automne 1989, il fit la rencontre, sur la place du Printemps de Prague, d'un biologiste américain, Errol Gould, professeur invité à l'Université de Prague et à l'Université McGill de Montréal, que les nombreux Américains qui y étudient (et leurs parents) surnomment «Ivy League North».

Les deux jeunes hommes s'engagèrent dans un long débat, évidemment sans issue, sur la question du créationnisme. (L'épouse de Gould s'éclipsa aussitôt le débat entamé, et divorcerait de son mari peu après leur retour à Montréal.) Gould invita son homologue religieux à passer à l'université, où il tenterait de lui démontrer les raisons de sa foi en l'évolution en analysant la substance génétique de la feuille qu'il saisit des mains d'Odd, qui l'agitait passionnément pour ponctuer son discours.

Les résultats de l'analyse troublèrent profondément Gould. La signature génétique de la feuille correspondait, simultanément, à celle de deux arbres, l'un sur le campus de l'Université McGill, l'autre dans le jardin de la bibliothèque de Strahov, à Prague. En fait, les données semblaient indiquer que cette feuille avait poussé sur deux arbres à la fois. Cette rencontre étonnante marqua le début d'une longue amitié. Une fois de retour à Montréal, Gould envoya à Odd des feuilles de l'arbre du campus de McGill. Odd trouvait leur réplique à Prague et les faisait parvenir à son ami biologiste.

Ils ne se revirent plus, mais soutinrent leur correspondance sur plus d'une décennie. Ils poursuivaient leur débat, l'un au nom de la foi, l'autre au nom de la science. Odd soulevait des questions métaphysiques : « Est-il possible qu'une âme existe par deux fois ? » Gould répondait par une remise en question pratique : « Avant de parler, une seule fois, d'âme, il faudrait avouer que nous ne mesurons pas ce phénomène[1]. »

Cette conversation passionnée ne prit fin que quand l'arbre de Montréal contracta le virus *Sclerotium rolfsii,* et fut abattu. Gould écrivit : « Le temps de la vérification est terminé », et Odd lui répondit : « Il a toujours déjà été trop tard[2]. »

Fil arabe, 1949
Collection de Prague

Paul Boule, dandy français, indépendant de fortune et homosexuel notoire, était un client bien connu des jeunes hommes du souk de Tanger. Il disparut un soir de 1949, après s'être une dernière fois risqué dans ses territoires de prédation.

Cette ficelle est le signe distinctif d'une troupe de Bédouins extrêmement dangereux, les Nagas, « charmeurs complices des serpents du désert », qui pratiquent la traite des Blancs.

Au cours d'une mission de reconnaissance de routine, un détachement de l'armée marocaine exhuma, dans le désert, la dépouille à demi momifiée d'un eunuque. Il portait une sorte de costume d'Arlequin assemblé de fonds de conserves taillés en losanges. Il avait la peau brûlée par le soleil, les cheveux rares blanchis par la lumière du désert, et les poignets ligotés par ce brin de ficelle.

Le commandant du détachement, Aruj Hadjadj, formula cette remarque cruelle en examinant la dépouille : « L'Arabe enfin a pénétré en lui. » Il jugea qu'il avait servi de bouffon aux cruels chameliers. La dépouille fut livrée à la veuve Boule devenue lesbienne par dépit. Elle la fit incinérer en sa seule présence, en fumant cigarette après cigarette.

Fil minotaure
Extraits de patience

Auguste Charnier, tailleur sis boulevard de Rochechouart, à Paris, pour sa collection automne-hiver de 1946, décida de coudre les coutures de ses complets avec du fil rouge, afin de « relever le squelette » de ses clients, « survivants de chair et de sang de la deuxième guerre des guerres ».

Au printemps 1947, il poussa la fantaisie à des extrêmes, en laissant pendiller à la manche de ses vestons un long fil, qu'on pouvait choisir de porter au creux de sa paume ou de laisser traîner derrière soi, attirant ainsi la curiosité des passants. « Humble technique de modiste pour relever l'élégance de la drague », disait Charnier. Les « hommes cousus de fil rouge » avaient grand succès auprès des libertins des deux sexes.

Charnier, l'« Ariane de Pigalle », tomba en disgrâce en 1948. Il utilisait le fil rouge pour attirer jusque chez lui des chats de rue qu'il dépeçait, intégrant leur chair tannée à la substance de ses costumes. Lorsque la lumière fut faite sur ses morbides activités, on le rebaptisa le « Minotaure de Pigalle ».

Fil rouge, 1959
Collection de Prague

Cette ficelle rouge était attachée à la patte de l'héroïque canari Zazie. La Régie autonome des transports parisiens l'envoyait prospecter les tunnels après les effondrements, fuites de gaz et autres catastrophes.

Alors que la durée de vie de ses collègues prospecteurs était habituellement de trois descentes, Zazie, réputée chanceuse, survécut à plus de 150 inspections, jusqu'à ce qu'une petite fille espiègle coupe le fil rouge alors que les ouvriers de la voirie discutaient, le dos tourné à la bouche de métro effondrée. Zazie ne refit jamais surface, et la gamine disparut dans la foule.

L'écrivain Raymond Queneau était des badauds.

Fleur de disparition
Extraits de patience

Les Mexicains, le jour des Morts, enguirlandent leurs sépultures de fleurs rouge vin, orangées et blanches[1], et allument des lampions à la mémoire des disparus.

Ce bouton de fleur avait été inséré dans une boîte d'allumettes de marque Redbird, fabriquée à Halifax, au Canada, et postée, dans un emballage de papier kraft, à l'hôtel Colonial de Senguio. Elle reposait sur du papier à lettres, huit fois replié sur lui-même, où on pouvait lire les mots suivants, dans une calligraphie noueuse et minuscule : « J'ai gaspillé toutes les lumières de ma sépulture. Puis-je encore apprendre à revenir vers toi ? Je t'envoie cette fleur

1 La *cempasúchil* (fleur des vingt pétales) est orangée, la *flor de terciopelo* (fleur de velours) est rouge vin et la fleur blanche est connue sous le nom de *nube* (nuage).

2 I have misspent all the lights of my resting place. Can I still learn how to come back to you? I send you this flower while I wait to rest by your side.

en attendant de reposer à tes côtés[2]. » Une aile de papillon monarque, visible en transparence au cœur de la feuille, avait été glissée dans le message.

Les monarques suivent, dans le parcours migratoire qui les mène, sur plus de 4500 km, du nord de l'Amérique aux montagnes de l'État du Michoacán, au Mexique, la répartition de l'asclépiade, se réapprovisionnant du suc de cette fleur afin de poursuivre leur vol. La nuée atteint le Mexique vers le jour des Morts, et la croyance populaire associe le retour des papillons aux âmes des disparus. L'asclépiade serait donc aussi friande de lumière solaire que des prières des vivants.

Frank Lloyd *lights*
Extraits de patience

Les motifs Art déco de cet étui à allumettes correspondent rigoureusement aux ornements de pierre surplombant les cages d'ascenseur d'un des premiers gratte-ciels de Pittsburgh, le Wrought Iron Building, incendié peu après sa construction, au terme de travaux qui auront duré huit ans, en 1928.

L'étui appartenait à un jeune ingénieur, Oswald Fengor, qui fut le disciple de Frank Lloyd Wright. L'architecte et mystique renvoya le jeune homme après un incident où, par excès de dévotion, il incendia les maquettes imparfaites de trois de ses collègues durant la nuit, s'exécutant avec une telle rigueur que la cendre soigneusement disposée sur la table de travail dessinait les plans des projets disparus.

Il vivait dans le sous-sol de la maison familiale à Pittsburgh, et passait le plus clair de son temps à s'introduire par effraction dans les chantiers de la ville, coiffé d'un casque protecteur volé à son dernier emploi. Il formulait des commentaires lapidaires sur le manque d'élégance des immeubles et se faisait systématiquement renvoyer des chantiers.

Les jours suivant ses expulsions, il dessinait furieusement des croquis où il modifiait les plans des constructions en cours. Dans les premières versions, il exécute des copies parfaites des plans, extrapolées à partir des structures inachevées des chantiers. Les esquisses évoluent ensuite vers un degré d'abstraction croissant, empruntant aux formes les plus improbables de la nature. Finalement, il n'y a plus, sur les feuilles, qu'un tourbillon cendré.

Fengor copia les ornements du Wrought Iron Building le 15 décembre 1931 et, croit-on, mit feu au bâtiment deux jours plus tard. Le gratte-ciel fut entièrement consumé, comme s'il n'avait été fait que de papier, et s'effondra dans un nuage de poussière. Fengor périt enfermé dans l'ascenseur. On retrouva son squelette carbonisé englouti sous les cendres. Dans sa main, il serrait, avec haine et détermination, cet étui de métal.

Gages Baker-Kloss
Collection du miroir

G

Josephine Baker, chanteuse et humaniste américaine de renommée mondiale, et le capitaine Kloss, célèbre espion polonais, ainsi que leurs intermédiaires au sein de la Résistance, ont utilisé ces gages, la formule « Les meilleurs marrons sont de la place Pigalle » et la réplique « Suzanne les aime seulement en automne'» afin d'échanger des messages secrets au cours de la première année de l'Occupation.

Des informations confidentielles permettent de soupçonner la nature romantique de ces messages, bien que leur formulation soit ésotérique à l'extrême. Quant à savoir quels motifs ont pu mener

1 KLOSS: Najlepsze kasztany sa na placu Pigale.

BAKER : Zuzanna lubi je tylko jesienia.

le capitaine Kloss à retourner en Pologne en 1942, les spéculations durent.

Gants démineurs
Extraits de patience

Marius Blimp Wellington, un artificier et démineur de l'armée anglaise, porta ces gants tout au long de la Première Guerre mondiale. Ses mains avaient été brûlées par la chute d'une lampe à l'huile alors qu'il désamorçait des charges dissimulées sous les pylônes d'un pont du village de Cerbère à la frontière franco-espagnole.

La chair calcinée au revers de ses mains, exposant un lacis de veines bleuâtres, perdit toute sensibilité. Par une sorte de transfert nerveux, les paumes de Wellington développèrent une réceptivité extrême aux variations de chaleur. Wellington avait toujours été un démineur talentueux. Il savait maintenant détecter la position d'un objet souterrain simplement en posant la main sur le sol.

On dit de Wellington, fort du mystère de ses dons et de ses gants, qu'il devint un grand briseur de cœurs. Il pouvait savoir si une femme l'aimait simplement en posant sa main sur elle, dans la proximité d'une danse, ou les frôlements d'une foule. Ses camarades de la brigade des démineurs, peu scrupuleux, l'encourageaient à jouer les entremetteurs.

Grand gentleman, Wellington préférait garder le silence sur les sentiments des autres. Il avait la grâce de s'éloigner d'une femme si l'élan n'était pas réciproque. On raconte qu'il n'enlevait ses gants que pour travailler ou dans l'acte de l'amour. Il mourut en tentant de désamorcer une charge posée au cœur d'une statue de la Vierge, près de la *Villa San Girolamo*. Dans ce couvent perché dans les collines qui surplombent Florence, les sœurs bleues veillent au repos des morts.

Gedankenexperiment mengerien
Collection du miroir

Nous devons à Karl Menger une des découvertes les plus importantes de la théorie de la connectivité des graphes. En 1928, dans *Dimensiontheorie,* il décrit l'espace universel unidimensionnel qu'on appelle l'« éponge de Menger » et qui s'est révélé essentiel aux géomètres de toutes terres (comme diraient les classicistes).

Menger confia à un de ses étudiants, le stochasticien et génétiste Otto Placebo, qu'il n'avait jamais « trouvé une expérience de pensée vraiment parfaite'». Il lui demanda s'il savait garder un secret, et lui murmura ensuite à l'oreille que sa théorie avait été inspirée par l'éponge ci-contre, qu'il appelait sa « pomme de Newton ».

Une dizaine de manuscrits incomplets intitulés *Ma pomme de Newton, Ma tour de Galilée* ou *Mon ascenseur d'Einstein* ont été découverts dans son appartement de Vienne puis égarés[2].

Les nombres apparaissant sur le sachet de plastique correspondent à une série de sa *Kurvertheorie.*

1 Er hatte nie ein wahrhaftig vollkommenes Gedankenexperiment entdeckt.

2 *Mein Newtonapfel. Mein Galileiturm. Mein Einsteinaufzug.*

Golem de poche
Extraits de patience

On disait du rabbin Saul Lowÿ de Prague, tenancier de la plus grande boutique d'accessoires liturgiques de la ville, que, s'il avait eu autant de baratin pour l'exégèse que pour la vente, sa gloire aurait pu éclipser celle du rabbin Loew.

Ce grand amateur de théâtre entreprit de rehausser sa réputation en mettant la thaumaturgie au service de l'art. Il annonça publiquement qu'il avait retrouvé la part manquante du nom de Dieu, celle-là même qui, glissée sous la langue du golem, le propulsa dans ses exploits anciens. Il prétendit pouvoir animer des figurines de bois en canalisant l'énergie divine.

Les mouvements de ces *eidôlons* boiteux se limitaient à des déplacements rectilignes, interrompus dès qu'ils butaient contre un obstacle. Lowÿ convainquit une troupe de théâtre locale, la Theatra Laterna, en résidence au Théâtre de la pierre', de mettre en scène un régiment de figurines dans une reconstitution de la bataille entre les pères fondateurs de la ville et l'armée mythique des amazones qui vivaient jadis sur les terres qu'on nomma Prague.

La semaine d'ouverture du spectacle, Jakob Münster, un riche teinturier de Łódź, assis dans la deuxième rangée, fut rendu borgne par une fléchette perdue. Il engagea des poursuites. Durant le procès, qui s'étala jusqu'en octobre, le prix des billets augmenta à outrance, et le spectacle joua à guichets fermés. Les autorités donnèrent raison à Münster et mirent fin au spectacle.

Une impressionnante machinerie de fils, conçue pour produire l'illusion du mouvement, une sarbacane et un œil de verre, oubliés dans les coulisses du Théâtre de la pierre, témoignent de la supercherie. Cette figurine est aussi inerte que le bois dans lequel elle fut sculptée.

H Herbier hermaphrodite
Extraits de patience

Cette feuille, inchangée depuis la préhistoire, porte la marque d'une étonnante morsure. On l'attribue traditionnellement à l'ichtyosaure. Une équipe de paléontologues grecs, sous la direction de Hyperion Victoropoulos, découvreur des ruines de Cnos, prétend qu'elle aurait été faite par une espèce insulaire, un semi-hominien quadrupède, sorte de boule de chair mobile, qui se serait uniquement nourrie de verdure, et serait l'incarnation des hermaphrodites décrits par Platon dans *Le Banquet*. L'hermaphrodite, doté d'organes internes et d'une ossature minimale, n'a laissé aucun fossile.

Monsieur Victoropoulos possédait un herbier rassemblant des spécimens fossilisés portant la même marque. Ses spéculations lui valurent de perdre son poste de professeur adjoint à l'Université Aristote de Thessalonique à l'âge de soixante-huit ans. Il avait la réputation de se ronger les ongles jusqu'à l'os et passa ses dernières années à répertorier les types de morsures du Péloponnèse. S'il n'abandonna jamais sa passion pour l'hermaphrodite, il fut forcé de la taire. Son nom passa dans l'histoire comme découvreur de Cnos et estimé spécialiste de la mastication des chenilles et des impacts de becs d'oiseaux sur le bois et la pierre.

Invention de Moril, 1972
Collection de Prague

Cette lentille provient de l'île de Santa Arena, près de la côte atlantique du Brésil. Focale finement polie, elle conjugue des miroirs microscopiques, qui semblent pouvoir se multiplier sans fin. Le pourtour, où sont traditionnellement inscrits l'angle de la focale et le nom du fabricant, porte la seule marque de l'infini (∞), et un *M* dédoublé, le monogramme des entreprises Moril'.

Propriétaire d'une usine de verre à Buenos Aires et d'une carrière de sable dans la pampa proche, Adolfo Moril (1899-1981) se spécialisait dans la fabrication des miroirs et des lentilles photographiques. Il répétait à ses clients : « La vie est une fine pellicule, qui nous emberlificote sans fin dans son dévidement[2]. »

En 1972, Moril se retira, seul avec ses domestiques, dans un manoir qu'il avait fait construire sur la petite île de Santa Arena. Il n'y invitait personne, et conduisait ses affaires à distance, évitant le plus possible de quitter sa retraite.

L'*Hacienda de Arena* comportait une insolite salle de cinéma, entièrement construite en verre. Des rideaux permettaient de transformer cette salle pour la faire fonctionner comme une sorte de *camera obscura* à six faces. Le prisme de la lentille suspendue par un système de fils de soie au centre de l'espace diffractait des images stéréoscopiques à travers la salle, et chacune des parois, y compris le plancher et le plafond, accueillait la projection.

La fragilité interne de la lentille en empêche le démontage et l'analyse. Lorsqu'on l'utilise comme un prisme, la couleur se diffracte en un composite chatoyant, qui donne une claire impression de volume. L'image d'une femme en robe, portant un chapeau d'homme, et esquissant ce qui semble être un pas de tango, apparaît au point de fuite.

Le cinéma a été pulvérisé par la tempête tropicale qui coûta la vie à Moril et à trois de ses domestiques, partis cueillir des baies sur la rive sud de l'île. Il ne reste, aux côtés du manoir aux vitres fracassées, qu'un monticule miroitant de sable et de verre moulu. Adolfo Arld, le majordome de la maison, présenta la lentille, protégée par un mouchoir de poche, au capitaine de la troupe de sauvetage de la marine anglaise qui investit Santa Arena après la tempête.

100

Jeudi de Chesterton

Extraits de patience

J

Dans *The Man Who Was Thursday*, Scotland Yard donne la chasse au leader d'un groupe d'anarchistes, un nommé Jeudi, sorte de réincarnation londonienne du dieu Pan. Le roman enchaîne sans relâche des poursuites abracadabrantes, dont les rebondissements n'ont rien à envier aux scénarios des westerns les plus palpitants.

L'écrivain ramassa ce rameau dans une rue de Londres, loin de toute végétation, et se plut à y reconnaître un signe. Tous les jeudis, pendant l'écriture de ce polar métaphysique, il prit l'habitude de le porter, agrafé au revers de ses vestons de tweed, comme un « parement de la couronne païenne », en « l'honneur des dons invisibles ». Chesterton nomma Jeudi son dieu de Londres, parce qu'il écrivait ses meilleures pages, « celles qui relançaient la chasse », ces jours-là[1].

1 I flaunted these leaves on my lapel like the ornaments of a Pagan crown, in honour of the invisible gifts. And I wrote my best pages, those that relaunched the hunt, on those days. The God of London was born on a Thursday.

Joséphine Wellington, 1836

Collection de Prague

On sait comment, à partir de 1825, l'automaticien Johann Nepomuk Mälzel fit parader le « Turc » du baron Wolfgang von Kempelen, automate joueur d'échecs qui fit sa fortune, à travers les cours d'Europe et les théâtres d'Amérique. On sait aussi comment cette mécanique merveilleuse fut exposée, dans la presse et quelques mémoires philosophiques, comme une mise en scène. Mälzel, qui était un grand mécanicien, inventeur d'un métronome et d'automates musiciens, aurait-il voulu anticiper sur les victoires de son art ? L'inventivité de son subterfuge, en tout cas, n'a rien à envier aux mécaniques les plus subtiles.

1 L'automate remporterait tout de même la partie contre l'Empereur troublé. Nous tenons cette anecdote d'un des manuscrits de la captivité corse de Napoléon. Qui sait si l'Empereur défait l'a inventée, ou si le génie du nain anonyme

engagé par Mälzel résidait
en fait dans une certaine
intuition stratégique ?

Edgar Allan Poe, lors d'une visite à Richmond en 1836, a été témoin, dans une école de danse transformée en musée, des prouesses de l'automate. Dans « Maelzel's Chess Player », un essai publié en avril de cette année-là dans le *Southern Literary Messenger,* il reprend certaines des grandes lignes des démonstrations précédentes, pour y jeter un inquiétant éclairage existentiel. Son plagiat constructif participe du jeu supérieur de la ratiocination, extension naturelle du tournoi d'échecs métaphysique entamé par le faux automate et son inventeur. Poe inaugure avec ce texte la méthode analytique qui serait celle d'Auguste Dupin, ce précurseur de Sherlock Holmes, dont on peut donc dire qu'il est né du croisement entre un automate et le regard inquiet de son auteur.

La mécanique du joueur d'échecs, Turc enturbanné rattaché à un cabinet sur roulettes, reposait en fait sur un nain féru d'échecs, William Schlumberger, qui observait l'activité en surface grâce à un système de miroirs mobiles, et activait le bras de l'automate en manipulant des poulies. Rappelons que, lorsque Mälzel ouvrait les panneaux latéraux du boîtier pour révéler la machinerie de l'automate, un mouvement des miroirs, combiné à une routine acrobatique bien rodée, permettait à Schlumberger de s'éclipser derrière les rouages. À Baltimore, deux jeunes hommes, sans doute à la solde du journal, rapportèrent dans la *Baltimore Gazette* avoir vu le minuscule maître d'échecs s'extraire de la mécanique à l'issue du match.

La grâce indéniable d'un tel subterfuge est bien inférieure, dans la perspective d'un certain public, prêt à condamner la fiction dès qu'elle ne s'affiche plus comme telle, au frisson métaphysique qui faisait le plaisir des auditoires. S'il est bien une morale que reconduisent les ruses de l'automate, c'est que la fiction semble figurer un jeu, et que, s'il s'agit d'un jeu, il est sans doute possible d'y perdre ou d'y gagner.

Schlumberger faillit d'ailleurs révéler le sien lorsqu'il prit la reine de Napoléon Bonaparte, qui avait invité l'automate à sa cour. L'Empereur froissé retira de sa redingote la main qu'il tenait toujours posée sur son cœur pour placer, avec un toc coupant, une nouvelle reine à la place de l'ancienne. Le Turc, dans la voix étouffée de Schlumberger, peut-être jaloux du monopole de sa tricherie, lança un cri indigné, articulant à deux reprises un nom composé de celui de l'impératrice et de celui du vainqueur éventuel de Napoléon à la bataille de Waterloo : « Joséphine Wellington! Joséphine Wellington'! »

Peu après le match, Schlumberger contracta la jaunisse et mourut dans un port de passage de l'Amérique du Sud. Mälzel, coupé de ses vivres, sombra dans l'alcoolisme, et s'intoxiqua fatalement dans un navire amarré au port de La Guaira, au Venezuela. Il mourut à la façon de Poe, l'âme imbibée d'alcool. Napoléon fut soumis au destin des tyrans. Personne ne lit plus la *Baltimore Gazette*. L'automate périt dans les flammes dans un musée de Philadelphie en 1854, mettant fin à sa tumultueuse histoire.

Kamicrayon, 1941
Collection de Prague

Ce stylo de fabrication japonaise, d'un design compact, était distribué aux kamikazes avant leur dernier vol en reconnaissance des services qu'ils s'apprêtaient à fournir à la nation. Conçu pour résister aux pires conditions climatiques et aux chocs les plus brutaux, il préfigure le Space Pen breveté par la NASA, stylo des astronautes qui permet d'écrire en apesanteur ou en grands fonds. Ce stylo ne connut pas, en Asie, la commercialisation massive du modèle américain.

1 天皇蛙の舌が
カタッと音をさせ
蝿である私が死ぬ

2 天皇の舌が
カタッと音をさせ
私は死ぬ

Les officiers américains avaient pris l'habitude d'appeler ce butin prisé *the kamicrayon*. On en a retrouvé de nombreux spécimens dans les poches des aviateurs décédés, et c'est souvent avec lui que les jeunes guerriers suicidaires écrivaient une ultime lettre à leur mère, à leur amante ou à leur ami.

Ce stylo particulier reposait à proximité de la dépouille fumante d'un des avions de la première vague qui prit d'assaut Pearl Harbor le dimanche 7 décembre 1941, marquant l'entrée du Japon dans la Deuxième Guerre mondiale. Un pêcheur l'aperçut sur une feuille pliée flottant sur l'eau, où étaient inscrits les vers d'un jeune poète inconnu. Celui-ci semble avoir entretenu certaines arrière-pensées quant au bien-fondé de son mandat :

> *L'empereur crapaud*
> *claque la langue*
> *et je meurs mouche*[1]

Au verso, une variation, plus polie :

> *L'empereur*
> *claque la langue*
> *et je me meurs*[2]

Le pilote et poète, pulvérisé à l'impact, nous est inconnu. Son poème aurait aussi bien pu être écrit sur l'eau.

L

Lampe de peur
Extraits de patience

La statue de bois d'un Viking veille au seuil du village de Gimli, sur la rive occidentale du lac Winnipeg, dans la province de Manitoba, au Canada. Gimli est la plus grande communauté islandaise à l'extérieur de la contrée insulaire.

Un soir d'avril 1941, le petit Guy Tolson trouva cette torche électrique, apparue comme par magie parmi ses draps. Guy aimait s'endormir en lisant des contes fantastiques dans des revues à bon marché, dites « pulpeuses » (*pulp,* en anglais) : *Amazing Stories, Astounding Science Fiction, Tales of Horror and the Supernatural, Wonder* ou autres variations sur l'émerveillement et l'effroi. Ses parents, George et Amanda, qui toléraient ces lectures, lui imposaient néanmoins un couvre-feu strict. La découverte de cette lampe de poche, comme « tombée d'un pli dans le tissu spatiotemporel[1] », constituait une tentation de taille pour ce garçon imaginatif.

La direction de l'école de Gimli nota un changement dans le comportement du petit Tolson, et en avisa les parents. Guy, qui était bon élève, avait les traits tirés, manquait d'écoute en classe et ne s'appliquait plus à ses leçons.

Entre les cours, il se cachait dans les recoins obscurs de l'école, placards du concierge, casiers, soupentes. Il racontait des histoires fantastiques à quiconque le retrouvait, en altérant ses traits à la lueur de la torche électrique. Peu importe qu'on se moquât de lui ou qu'on lui tirât l'oreille, il finissait ses contes. Il y tenait le rôle du héros, explorant du faisceau de sa lampe les profondeurs des mondes de fabrication dont l'entrée communiquait avec la caverne de ses draps.

La tragédie s'abattit sur la famille Tolson le soir où le directeur de l'école, George Maddeson, un géant aux allures de Viking, leur rendit visite pour discuter des problèmes de Guy. Quand George Tolson voulut faire descendre son fils de sa chambre, Guy ne répondit pas. Le père monta, enragé, afin de forcer son fils à obéir. Il n'y avait plus personne, qu'un lit défait, jonché de revues à cinq sous. Nulle échelle de draps ne pendait à la fenêtre.

[1] A flashlight fallen through the folds of space-time.

[2] I avoid dawn's petrifying glare. I flee the trolls of morn.

On ne sait trop par quelle prestidigitation Guy put ainsi s'éclipser, lampe en main. Il laissa derrière lui un dernier message, écrit au stylo à bille dans son cahier à spirale : « J'évite le regard pétrifiant de l'aube. Je fuis les trolls du matin[2]. »

Lettres mortes, 1988
Collection de Prague

Ces lettres enrubannées, feuilles arrachées à divers carnets, semblent toutes adressées à des femmes dont nous ne connaissons que les initiales. Aucune n'est datée. Aucune ne fut postée. Elles seraient de la main du collectionneur anglais Sebastian Wigrum.

Wigrum avait l'intention de les assembler en un manuscrit écrit en anglais, *The Last Love Letters on Earth*. Nous en connaissons la dédicace, « En mémoire de tout ce qui n'eut jamais lieu[1] », et un fragment explicatif, où il est question de « cette triste alchimie qui entraîne la transmutation des sentiments en littérature[2] ». On peut aussi y lire, parmi d'autres phrases illisibles, écrites avec une encre diluée, cette question : « Existe-t-il un lieu où sont archivés les sentiments irrésolus et irrecevables, et où ces lettres enfin sont reçues[3] ? »

1 In memory of all that never happened.

2 That sad alchemy which leads to the transformation of feelings into literature.

3 Is there a place where our unresolved and inadmissible sentiments are archived, and where these letters arrive at last?

Loupe d'élite
Extraits de patience

Ce compte-fils au verre égratigné appartenait à un tireur d'élite des Royal Canadian Rifles de la ville de Winnipeg, William Canty. En préparation au combat, le guerrier-poète gravait un vers extrait des classiques du romantisme anglais sur chaque balle, en utilisant cette loupe pour en mesurer les proportions.

106

Canty, un jeune homme au tempérament mélancolique, avait la réputation d'être un doux, et il passait le plus clair de son temps de tranchée seul à lire. Il expliqua un jour à un de ses compagnons qu'il n'avait jamais voulu tuer personne, et que « la géométrie mortelle des vers rendait un peu de grâce à tous ceux qui n'auraient jamais dû mourir[1] ».

Il décochait ses tirs avec une telle rigueur qu'on pouvait lire, en extrayant les balles du cœur des dépouilles, les strophes des poèmes dans l'ordre où ils avaient été rédigés. Sur un champ de bataille de Normandie, le régiment, pris de folie à l'issue du combat, put ainsi recomposer la strophe célèbre de William Blake :

Tigre, tigre, brûlant à vif
au fond des forêts de la nuit
quelle main, quel œil immortels
oseraient contenir ta terrible symétrie[2]

Ironiquement, Canty fut tué par une balle perdue alors que ses collègues soldats zigzaguaient, fouillant les dépouilles avec les lames de leurs baïonnettes. Le tir avait été décoché par une jeune fermière de Rubrouck, Jeanne Blédor, qui croyait à l'arrivée des Allemands. Canty reposait, affalé dans la tranchée, un livre troué ouvert sur son torse, blessé en plein cœur.

Lunettes d'accélération, 1986
Collection de Prague

Ces lunettes ont appartenu à Samuel Mudde, petit garçon de la banlieue industrielle de Lachine, dans la province de Québec, au Canada. Affligé dès son plus jeune âge d'une sorte de « cécité impressionniste », Mudde voyait le monde comme une composition

[1] The mortal geometry of verse gave grace back to those who should never have died.

[2] *Tyger, tyger, burning bright in the forests of the night what immortal hand or eye dare frame thy fearful symmetry*

lumineuse de lignes et de couleurs. On lui prescrivit ces lunettes aux verres épais comme des fonds de bouteilles. Leur principal effet était de préciser, en les rendant plus compactes, les formes mouvantes qui s'offraient à son regard.

Incapable de lire au tableau noir, Mudde enregistrait pourtant de prodigieuses performances scolaires, particulièrement dans les disciplines scientifiques. Son handicap l'avait conduit à développer un système de calcul mental qui lui permettait, par un raccourci symbolique, de résoudre les problèmes mathématiques les plus abscons sans en détailler la preuve.

D'année en année, sa vision continuait de se détériorer. Vers l'âge de la puberté, elle se stabilisa au nadir. Il comprit, au retour d'un examen optique, marchant le long des vitrines d'un supermarché qui lui semblaient subtilement bombées, qu'il pouvait physiquement voir la courbure de l'espace-temps. Il avait enfin découvert la source de ses insolvables problèmes de vision : son regard ne parvenait pas à s'arrêter aux apparences.

Le port des lunettes avait renforcé sa tendance naturelle à l'introspection, et ses parents furent surpris quand Mudde, dans un accès de révolte, leur affirma qu'il considérait sa vision corrigée du monde comme étant « faussée d'avance ». Son père eut ce mot tendre : « J'aurais voulu te donner de bons yeux. » Le petit Mudde passait ses soirées au bout du terrain de golf local, à contempler le passage des automobiles sur l'autoroute qui ceinturait la ville.

En 1981, il rejoignit le CERN, l'accélérateur de particules dirigé par la communauté européenne, dont le tunnel dessine un anneau souterrain de plus de 400 kilomètres sous les villages de la frontière franco-suisse. Le talent prodigieux de cet « accélérateur de particules humain » avait été porté à l'attention du laboratoire suisse par son professeur de mathématiques, René Sinet, auteur de la *Soustraction Sinet* et ami du physicien d'origine alémanique Adalbert Zeno. La fille de ce dernier, Clara, avait fréquenté, à l'été 1981, la même colonie de vacances que Mudde.

Les physiciens prirent le jeune homme sous leur aile. Il devint une sorte de mascotte des tunnels. Les équipes y circulaient, de poste d'observation en poste d'observation, sur des bicyclettes d'emprunt. Pour son quinzième anniversaire, on offrit à Samuel une rutilante bicyclette argentée baptisée, comme l'accélérateur, « Supercollider ».

Le lendemain, il l'enfourcha, s'engagça à toute vitesse dans le tunnel et disparut. On retrouva ses lunettes, sagement pliées, au lieu où il avait garé la Supercollider. Il n'existe plus aucune trace physique de son passage, mais la légende veut qu'un des traits lumineux observés ce jour-là semblât épeler, dans les caractères serrés de son écriture de myope, le nom Clara.

Lunettes nucléaires, 1952
Collection de Prague

Quand les vitres du White Sands Casino de Las Vegas éclatèrent sous l'onde de choc de la détonation de la première décharge nucléaire à Trinity Site, non loin de là, le croupier étoile Joe Lilly portait ces lunettes polarisées. Leurs verres de fabrication artisanale résistèrent à l'impact. Autour de la table de blackjack, les observateurs les plus fins, à force d'en scruter l'opacité, finissaient par déceler la toile d'araignée de subtiles fêlures qui parcourait les deux lentilles. Joe, toujours affublé de ses lunettes noires, distribuait les cartes la tête tournée vers le plafond. On disait qu'il avait été aveuglé par la détonation, acquérant du même coup une faculté quasi télépathique à lire les jeux.

En 1950, le sénateur Joseph McCarthy, à la faveur d'un voyage d'affaires, se présenta à sa table de jeu.

1 You're hiding your game behind your glasses!

2 The Reds can't get us now that we've got the jump on them.

McCarthy, mauvais joueur, finit par invectiver le croupier : « Tu caches ton jeu derrière tes verres[1] ! » Les agents de sécurité du casino, le prenant pour un représentant en vadrouille, le raccompagnèrent vers la sortie.

Le nom de Joe figure en marge de la liste des 205 « collaborateurs communistes » du département d'État lue par McCarthy au Club des femmes républicaines de Wheeling, en Virginie-Occidentale, le 9 février 1950, date de l'anniversaire d'Abraham Lincoln. Joe Lilly fut finalement convoqué au House Un-American Activities Committee, et renvoyé par la direction frileuse du casino. Il rétorqua à son patron, au moment de partir, avec son habituelle nonchalance : « Les rouges ne nous auront pas, nous les avons pris de vitesse[2]. »

Les meilleurs *gamblers* de Las Vegas visitaient Joe chez lui, où il vivait dans le noir total, derrière ses verres, dispensant des leçons. Il mourut en 1952 d'un cancer. On respecta ses dernières volontés et il fut exposé en plein air, à Trinity Site, ses verres fêlés tournés vers le ciel.

Lymantria gregoria kafkai
Collection du miroir

Ce papillon de nuit, d'une espèce alors inconnue, a été découvert dans un dossier portant la mention *Lymantria gregoria kafkai*, rangé dans un classeur fréquemment consulté par Franz Kafka dans le cadre de son travail à l'Institution d'assurance pour les accidents des travailleurs du royaume de Bohême de Prague[1].

L'avenir donnera à *La métamorphose*[2] l'importance qui lui revient, et cet insecte minuscule occupera un jour un espace énorme dans nos esprits.

1 Arbeiter-Unfall-Versi-
cherungs-Anstalt für das
Königreichs Böhmen

2 *Die Verwandlung,* Leipzig,
Kurt Wolff Verlag, 1915.

Manuel fleuri, 1968

Collection de Prague

Ce manuel de machinerie reposait sur la tablette supérieure d'un casier de métal dans les ruines de la sphère géodésique conçue par Buckminster Fuller. Construite pour l'Exposition universelle de Montréal, en 1967, elle vit son revêtement de plastique se consumer dans un incendie spectaculaire à l'été 1976.

Le *Manuel de machinerie*[1] cache en fait un guide de jardinage. Il contient toutes les instructions nécessaires pour cultiver des plantes médicinales et préparer une pharmacopée complète, qui assure la santé quotidienne (et homéopathique) des familles. Le « Complément aux salades[2] » se penche sur l'assaisonnement des laitues, alors que le « Bréviaire des roses[3] » explore le jardinage ornemental. Les dernières pages, excavées, contiennent un assortiment de graines.

On croit que c'est Buckminster Fuller lui-même, auteur du *Manuel d'opération pour le vaisseau-terre*[4] et ardent prédicateur de notre essaimage vers les étoiles, qui aurait abandonné ce guide de jardinage secret dans sa sphère aux allures de vaisseau de l'espace, rêvant sans nul doute que tous les colons de l'avenir l'emportent avec eux vers les étoiles.

Certains adeptes de sa philosophie prétendent d'ailleurs que la sphère, une fois équipée de panneaux solaires, aurait pu se transformer en vaisseau intersidéral, un jardin volant pour partir d'ici et recommencer le monde à neuf.

1 Erik Obert et F. D. Jones, *Machinery's Handbook for Machine Shop and Drafting-Room,* 15th Ed., Holbrook L. Horton (ed.), New York, Industrial Press, 1957 (1914). Distribué dans l'Empire britannique par Machinery Publishing Co., National House, West Street, Brighton, 1, England.

2 "Complementary Salads"

3 "The Rose Breviary"

4 R. Buckminster Fuller, *Operating Manual for Spaceship Earth,* Carbondale, Southern Illinois University Press, 1969.

Masque d'our

Extraits de patience

Ce masque, sculpté par Ida Bagus Ketut Gelodog, maître sculpteur de l'insulaire colonie hollandaise de

1 Театр Медведицы

2 „Монолог бархатной лапы"

3 Ces tristes événements évoquent un épisode de *The Winter's Tale* de William Shakespeare. Antigonus, un courtier sicilien, fuit vers la Bohème. Il emporte l'enfant de dame Hermione avec lui. Leontes, roi de Sicile, dans un accès paranoïaque, accuse son épouse Hermione d'adultère avec le roi de Bohème, son ami Polixenes. Lorsque Antigonus — personnage résolument secondaire, pris dans l'engrenage de la tragédie — descend de navire sur la côte de Bohème (au 16ᵉ siècle, l'Empire très terrien de Bohème avait conquis une partie de la Hongrie, et bénéficiait donc d'un accès à la mer), il est aussitôt avalé par un ours errant. L'enfant est abandonné à son destin. Ceux qui voient là une représentation de la dévorante puissance impériale exagèrent : il s'agit plutôt d'une digestion dramatique, l'auteur ayant eu besoin de se défaire d'un personnage excédentaire pour dénouer l'action.

4 Und noch eine dieser unerträglichen, dogmatischen, theatralischen Seelen über deren Geheimnis Russland verfügt.

Bali, est réputé posséder certaines propriétés magiques. L'acteur Panteleimon Vordukhonaborsky avait eu vent de l'énorme talent mimétique du sculpteur. Il lui commanda à grand prix, par l'entremise de son ami, le marin Abdel Bashir, ce masque pour une performance au Théâtre de la dame de l'ours' à Saint-Pétersbourg. Elle devait avoir lieu la veille de Noël 1932. Vordukhonaborsky attribua à l'esprit qui habitait le masque — qu'il appelait, avec une fantaisie francophile, l'«our» — l'entière paternité de son célèbre «Soliloque de la patte velue²».

Vordukhonaborsky, revêtant ce masque, livra, dans un pentamètre iambique parfaitement cadencé, l'histoire, qu'il ne pouvait pas connaître parce qu'elle n'atteindrait la presse locale *que la semaine suivante,* de la dévoration de l'explorateur polaire Knut Sturesson par un ours blanc de Sibérie³. Il est bien sûr possible que la performance métempsychique de Vordukhonaborsky ne soit qu'une supercherie orchestrée par le maître comédien, dont un critique viennois (son nom, miséricordieusement, sera tu) affirma un jour qu'il n'était «qu'un autre de ces insupportables et dogmatiques esprits théâtraux dont la Russie a le secret⁴».

À la défense de l'hypothèse d'une soudaine *possession,* notons cependant que le masque, bien qu'il représente le Barong — une divinité modelée sur l'ours, créature étrangère à l'île de Bali, et qui est pourtant un personnage récurrent de sa dramaturgie —, semble moulé sur les traits de son sculpteur, et qu'on y reconnaît aussi le rictus, que d'aucuns diraient méprisant, de l'acteur.

La présence de l'ours dans la mythologie balinaise n'est pas moins mystérieuse que celle de l'*our* sur les planches de Saint-Pétersbourg. La déflagration psychique issue de la mort solitaire d'un explorateur arctique sous les griffes d'un ours aurait-elle pu trouer le temps et se conjuguer à la volonté folle d'un acteur possédé ? Devant une performance aussi convaincante, qui saura dire si l'acteur, sous son triple visage d'humain, d'acteur et d'our, aurait pu donner naissance à un auteur composite, n'existant qu'au moment de monter sur scène, dans l'espace proche et lointain de la catharsis ?

Mèche Münchhausen
Extraits de patience

Ces pilosités, conservées dans un pot de crème à raser, seraient celles du baron von Münchhausen, grand conteur d'histoires tirées par les cheveux. Elles nous éclairent sur sa vie intime. « Les géants et les héros », comme il aimait à le répéter, « peuvent être terrassés par un caillou ou une femme[1] ». Si ce n'est de sa fascination pour la déesse Vénus, on connaît mal le récit des amours du baron von Münchhausen. Il devait cependant les vivre avec la même intensité que celle qui galvanisait tous les moments de son existence.

1 Riesen und Helden können mit einem Stein oder durch eine Frau bezwungen werden.

Münchhausen rencontra son égal à Parme, lors d'une des grandes campagnes prussiennes, sous la forme d'une jeune femme, Vénus Stucelli, voluptueuse coiffeuse dont il tomba éperdument amoureux. Elle se promit à lui en de secrètes fiançailles, profitant de leur intimité pour couper cette mèche au héros de guerre. On se souviendra qu'il prétendait avoir su, à un moment où il risquait la noyade, se hisser hors de la mer en tirant de toutes ses considérables forces sur ses propres cheveux. Aussitôt son geste posé, Vénus disparut, relique en poche. Quelques mois plus tard, la mèche fut retrouvée au fond du tabernacle de la chapelle locale, posée dans la boîte à coiffure de la jeune femme.

Le cœur brisé, le baron rentra dans son Allemagne natale, pour rejoindre son épouse et mettre fin à sa vie d'aventures. On doit sans aucun doute au geste de cette jeune femme le récit des hauts faits du baron, car il fallait qu'il rentre enfin chez lui pour commencer à les raconter. Cette improbable mèche est tout ce que nous avons pour nous raccrocher à la vie réelle du baron, et prêter foi à sa fabuleuse existence.

Mercredi yéti
Extraits de patience

1 I grow old and I want the world, which I do not want to see, to know of my existence. For you only have I enchanted this day and I want you to remember, when climbing the mountainside, that I have always been stronger than you. I have lived the life I wanted, a life of freedom. For me, Wednesdays never existed. I have followed you since your birth and you deserve better than what the whites are offering you. Grow your beard, and vanish in it.

2 The Yeti was the greatest of gentlemen; if he had had a hat on, he would have taken it off, and if I had offered him tea, he would have drunk it with his pinky up.

3 He disappeared down his own beard.

Ce poil blanc vient du pelage du yéti. Contre toute attente, il se présenta un mercredi soir au seuil de la hutte du sherpa népalais connu sous le seul nom d'Aadarsh (« l'idéaliste »), qui accompagna de nombreuses expéditions britanniques dans les montagnes environnantes. Le yéti essuya ses pieds avant d'entrer et se tint poliment sur le seuil, s'adressant au jeune homme d'une voix enrouée, aux accents vieillis, digne d'un lord britannique :

Je me fais vieux et je veux que le monde, que je ne veux pas voir, sache que j'existe. Pour toi seul ai-je enchanté ce jour et je veux que tu te souviennes, en gravissant la montagne, que j'ai toujours été plus fort que vous. J'ai vécu la vie que je voulais, une vie libre. Pour moi les mercredis n'existaient pas. Je te suis depuis ta naissance, et tu mérites mieux que ce que t'offrent les Blancs. Fais pousser ta barbe et disparais en elle[1].

Sur ces paroles, il fit la révérence, se détourna, puis s'éclipsa.

Aadarsh affirmait souvent : « Le yéti était le plus grand des gentlemen. S'il avait eu un chapeau, il se

114

serait décoiffé et, si je lui avais offert du thé, il l'aurait bu le petit doigt levé[2].» Il montrait le poil perdu à tous les chefs d'expédition, qui le prenaient pour un simple d'esprit doué d'un sens de l'orientation exceptionnel. L'après-midi du mercredi 11 janvier 1922, il disparut dans les vallées enneigées et tempétueuses où le yéti est réputé faire sa vie. Aadarsh guidait alors une expédition menée par l'explorateur suédois Knut Sturesson. Dans son journal, Sturesson témoigne qu'un lancinant mugissement précéda l'avalanche, se mêlant à son tonnerre. Par quelque miracle, la déferlante s'arrêta aux pieds de l'expédition terrorisée. Aadarsh, à une trentaine de mètres devant, sembla statufié par la neige avant de disparaître. Malgré tous les efforts d'excavation, on ne retrouva nulle trace de sa dépouille.

Sturesson rapporte comment, dans le patois local, certaines peuplades himalayennes font référence aux neiges éternelles comme à la *sage barbe des pics*. Dans les villages proches, la légende locale veut qu'Aadarsh ait bel et bien «disparu dans sa barbe[3]», et pris la place de son estimé visiteur, cet apôtre de la liberté, mort de solitude un morne mercredi.

Métal lourd, 1972
Collection de Prague

Cet écrou, d'apparence anodine, si ce n'est de l'épaisse couche de rouille dont il est enrobé, est impossible à soulever.

Il fut découvert dans une clairière de la forêt de Toungouska, en Sibérie, en 1972, lors du tournage d'un film de science-fiction commandé par le Politburo, *La marche céleste*[1] d'Arcady Zvezdapilov. L'intrigue du film tourne autour de la mystérieuse détonation nucléaire, de vingt fois supérieure en force

1 „Небесная поступь"

2 Лес испускает вздох исполина и падает к ногам Бога.

3 Между небом и
простудой
Довостолов повалился.

à la charge d'Hiroshima, qui aplanit la région en 1908. Le film ne fut pas achevé, mais, en lisant le synopsis confus conservé dans les archives du Politburo, on comprend qu'un astéroïde, lancé au front de la Terre par une sorte de David extraterrestre, apparaît, à la faveur d'expériences secrètes de Nikola Tesla, par une fêlure dans l'espace-temps, et est pulvérisé dans l'ionosphère avant de détruire le monde. «La forêt laisse échapper un soupir de géant et s'aplanit aux pieds de Dieu[2].» Le savant passe le gros du film à discuter de métempsychose avec ses collaborateurs des républiques futures du bloc communiste.

Un machiniste trébucha sur l'écrou en posant les rails pour un long travelling. On dut, selon les souhaits du réalisateur, qui ne voulait en aucun cas suspendre le tournage, déraciner un large bloc de terre à l'aide d'un bulldozer afin de le déplacer. Un membre de l'équipe rapporta les événements au parti. Le tournage fut interrompu, ses fonds détournés pour l'étude du boulon. On perd peu après la trace de Zvezdapilov, arrêté pour avoir tenté de passer à l'Ouest, où la télévision suédoise lui avait proposé un projet sur l'épidémie d'influenza du début du 20e siècle. Une chanson bien connue des ivrognes russes l'immortalise :

> Entre le ciel et un rhume
> Zvezdapilov a perdu pied[3].

Miroir du chemin
Extraits de patience

Au premier abord, ce miroir de poche, qui n'est pas sans rappeler une version miniaturisée des premières photographies sur verre, semble n'être qu'un miroir dans lequel on aurait incrusté, par un subtil procédé

116

d'orfèvrerie, une illustration particulièrement réaliste : l'image d'une route de Provence, à proximité d'Arles, semble figée en permanence dans sa surface, polie au 18ᵉ siècle par un artisan local.

Ce miroir est l'hôte d'un spectacle insolite. Les curieux devront se rendre sur les lieux représentés dans ses profondeurs pour en constater l'effet. Sur une centaine de toises le long de la route, le miroir retrouve ses propriétés réfléchissantes, et les apparences se remettent à bouger en lui. Au deux-centième pas, l'image se fige à nouveau. La figure d'un homme en redingote, le visage brouillé par l'ombre d'un chapeau orné d'une plume, apparaît alors au point de fuite, pour aussitôt se dérober à notre regard.

Ce miroir fut brièvement en la possession du romancier Stendhal, au moment où il écrivit, non loin de là, *La Chartreuse de Parme,* qui contient la phrase célèbre, chère aux naturalistes : « Un roman est un miroir que l'on promène le long du chemin. » Il aurait, chaque jour, remonté ce chemin pour réfléchir et raffiner son roman en cours.

Les sceptiques croient à un trucage, ou à une subtile mise en scène de son acquéreur, Jean Rouge, prestidigitateur frustré qui attribuait son insuccès au prosaïsme des auditoires modernes. Artisan de talent, il passa la plus grande partie de sa carrière à fabriquer des accessoires de scène pour les théâtres de la région. Les jours où il ne travaillait pas, il se postait au bas du chemin de Stendhal, offrant à des inconnus éberlués par son impossible miroir de les guider. Il pouvait alors exercer la seule magie qui lui semblait encore permise.

Certains exégètes prétendent que l'inconnu du chemin est Stendhal lui-même, se détournant de nous à l'horizon du réel. Quelques inconditionnels, pour qui le fait qu'un reflet puisse s'arrêter dans un miroir et se raviver au contact du réel n'est pas assez fantastique, veulent y reconnaître un des généraux du *Rouge et le noir,* dans sa tenue civile, s'avançant en éclaireur aux confins du monde et de la fiction. Ceux qui ont deviné la silhouette du flâneur avoueront qu'il ressemble peut-être davantage au magicien sans emploi, Jean Rouge, promeneur de fiction.

Monnaie de bois

Extraits de patience

1 This Tuvanese disk has only one side. Everything that will never be lived hides on its reverse. It can only be held in the palm of the true men.

Les Tuvanais — autre peuple parmi la multitude dont le nom propre signifie «les hommes», comme s'il n'y avait qu'eux au monde — font leur vie dans la vallée de Baliem, en Papouasie-Nouvelle-Guinée.

Sir Raleigh Morwin, de retour de son voyage d'exploration le long du fleuve Sepik, présenta ce palet aux membres de la British Archaeological Association, en disant : « Ce disque tuvanais n'a qu'une face. De l'autre côté se cache tout ce qui ne sera jamais vécu. Il ne tient que dans la paume des hommes véritables[1]. »

Il expliqua qu'il s'agissait d'un palet utilisé dans un cruel jeu sacrificiel. Le palet devait en tout temps être maintenu en vol par les joueurs, qui le projetaient à l'aide d'une crosse de bois munie d'un panier de ligaments tressés. Les participants étaient un à un éliminés. Celui qui, de toute la joute, n'échappait pas le palet méritait enfin de le tenir dans sa main. Il pouvait alors s'approprier, en le faisant disparaître dans sa paume ouverte, la vie de n'importe lequel de ses adversaires pour en faire un esclave ou une victime.

À cette étape de sa narration, Morwin fit disparaître le palet, par un tour de prestidigitation facile, au fond de sa manche. Certains des hommes de science assemblés là connaissaient intimement la région explorée par Morwin. Après qu'ils eurent posé quelques questions, il devint évident que l'explorateur n'avait jamais bougé de chez lui, et que ce bois troué était l'ouvrage d'un insecte ou d'un oiseau de son jardin, ou encore un souvenir rapporté d'un séjour à la plage. Durant la période de questions, le palet tomba de la manche de Morwin, et, quand il se pencha pour le ramasser, sa carrière prit fin dans un éclat de rire.

Monogramme du laitier
Extraits de patience

Les initiales DC frappées sur cette estampe de fer sont le monogramme de David Carey, un laitier du village de Blackwater, sur l'île de Wight, au large de l'Irlande. Chaque matin de livraison, il suivait le facteur local dans sa ronde, et il avait pris l'habitude de remettre à ses clients, en même temps que leur lait, leur courrier de la journée. Le jeune homme, efficace et peu bavard, offrait un salut et un sourire, et avait su gagner la sympathie des villageois.

1 *She does not love you. Don't give her more money. — Yours, someone who wants your good.*

2 *I only wanted them to read me in the same way I was learning to read them. It was our only way to be together. Farewell.*

Carey, natif d'Australie, entra en fonction à l'hiver 1939. Au village, on le connaissait mal. Il ne fréquentait pas le pub local, et il louait une petite maison de campagne à l'écart, près de la ferme laitière qui remplissait ses bouteilles, la McGowan.

Le printemps suivant son embauche, son monogramme, estampillé à l'encre, commença à apparaître sur les enveloppes de ses clients, de toute évidence décachetées à la vapeur et maladroitement scellées avec de la colle. En général, la correspondance ainsi marquée était de nature personnelle : lettres de famille, d'amis ou d'amoureux. Quelques jours plus tard, les domiciles recevaient une lettre anonyme, tapée à la machine, qui contenait un commentaire, en termes lapidaires, sur la conversation privée. « Elle ne vous aime pas » ou « Ne lui donnez plus d'argent », par

exemple. Ces missives étaient invariablement signées :
« Au plaisir, quelqu'un qui vous veut du bien[1]. »

Nel Kelley, un orphelin de la localité, en pension
à la ferme McGowan, s'était lié d'amitié avec le discret laitier. Carey goûtait le lait du jour, que l'enfant
l'aidait à charger dans son camion, et lui offrait une
tasse de thé avec un nuage lacté et des biscuits secs.
Lui se contentait d'un verre de lait, prétextant que le
thé affectait ses nerfs. D'une nature frondeuse, Kelley
était constamment suspecté par les autorités, et il fut
questionné dans l'affaire des lettres anonymes.

Lorsque le shérif local, Samuel Wrightley, apprit
que Carey ne buvait pas le thé qu'il servait au garçon,
ses soupçons furent confirmés. Carey utilisait la
bouilloire pour décacheter les enveloppes. Le laitier,
doucement réprimandé pour sa curiosité, se défendit
en disant qu'il n'avait jamais eu l'ambition de son
métier. Il écrivait, dans sa petite maison, un roman
dont les habitants du village étaient les personnages principaux, et qu'il avait signé du pseudonyme
de « Daniel Carrer ».

Carey fut congédié, à la demande des villageois,
par la ferme McGowan, et retourna à Londres. En
guise d'au revoir, il envoya son monogramme et un
billet adressé aux villageois, que le maire du village
ne leur lut pas : « J'ai seulement voulu qu'ils apprennent à me lire comme j'apprenais à les lire. C'était
notre seule façon d'être ensemble. Adieu[2]. »

Montre lièvre
Extraits de patience

Cette montre de gousset plaqué or, de marque
Admiral, fabriquée en 1911, semble être surgie des
soubassements du rectorat d'Oxford. Cinq étudiants
en logique, rassemblés dans les souterrains pour se

raconter des histoires de fantômes, remarquèrent une longue chaînette dorée dont l'extrémité disparaissait dans la noirceur. Ils la suivirent jusqu'à un terrier ménagé entre les fondations. À la flamme d'une allumette, il paraissait insondable.

Un couinement, et la chaîne se mit à glisser par elle-même, à toute vitesse, vers les profondeurs. Un des étudiants saisit la montre. La chaînette se détacha avec un déclic. Du même coup, les aiguilles s'arrêtèrent. « Son tic-tac se tut lorsqu'il la prit dans sa main[1]. »

Les cinq étudiants furent affligés, à partir de ce moment, d'un mal étrange : une sorte de dyslexie temporelle[2]. La lecture des horloges leur était devenue impossible, et ils n'arrivèrent plus jamais à temps à leurs cours. Convoqués au comité disciplinaire, ils évoquèrent la rencontre du lièvre invisible. Ils racontèrent à leurs juges, le cœur battant, comment une voix inhumaine et aiguë, au fond du terrier, avait crié, au moment du déclic qui avait détaché la montre : « Enfin au moins je ne tarderai plus[3] ! »

Les cinq amis furent expulsés de la prestigieuse université l'année suivante, et forcés de réintégrer le foyer familial. Par la suite, ils connurent tous de grandes difficultés à s'adapter au monde adulte. Malgré leur talent, et la fougue qui les avait jadis animés, ils vécurent, après ce châtiment, des vies de célibat et de résignation cléricale.

Mouchoir de Faulkner
Extraits de patience

Ce mouchoir a été tissé par la Stopes Linen Company, à Nashville, Tennessee. William Faulkner a demandé qu'on le glisse dans sa poche au moment de ses obsèques. Il n'était plus blanc. De tels mouchoirs, apanage commun des gentlemen sudistes,

[1] Its ticking stopped when he held it in hand.

[2] *Temporalia dyslexia*

[3] At least I won't be late at last!

1 There are things you never forget, even when your pockets are full of Nobel money.

sont disponibles sur commande en paquet de cent. On offre aux clients, pour des frais supplémentaires, de les personnaliser en y brodant un monogramme ou un souhait. Le mouchoir de Faulkner porte fièrement ses taches, mais aucune broderie.

C'est avec lui que Faulkner s'épongeait le front alors qu'il travaillait dans la chaufferie de l'Université de l'Alabama, pelletant le charbon qui réchauffait les étudiants en surface. Quittant cet emploi à la suite de la publication et du succès de son premier roman, il conserva le mouchoir, qu'il ne lava jamais plus.

Lorsqu'il l'extrayait par erreur de sa poche, à la recherche d'un billet ou d'un peu de tabac, il expliquait ainsi la présence du mouchoir maculé : « Il y a des choses qui ne s'oublient pas, même lorsqu'on a les poches pleines d'argent du Nobel'. »

N

Note unique
Extraits de patience

1 The Caribbean edge of the United States.

2 "Sylvia Sylphid"

Cet ocarina minéral produit une note unique. Taillé dans une pierre provenant du lit d'une rivière asséchée, il a appartenu à une petite fille, Sylphie Waldorp, qui en modulait le sifflement laconique au coin de Bourbon Street, à la Nouvelle-Orléans, pour le compte du capitaine Alban, corsaire mulâtre recyclé en entremetteur du quartier de Treme. Il était célèbre pour avoir commencé sa carrière dans la piraterie en tentant de fonder une république dont sa mère aurait été la reine, sur la plantation haïtienne de son père, avant de s'enfuir à « la limite caraïbe des États-Unis' ».

La fillette disait être originaire du Nausicaan, une île qui avait sombré sous les mers, et avoir été rescapée par le pirate alors qu'elle dérivait sur l'armature de bois de son lit à baldaquin. Elle prétendait que les dauphins sculptés qui en ornaient les colonnades avaient appris à nager et elle tenait à la main son instrument de pierre, un fragment du trône de son père.

Postée au coin de Lafayette, elle jouait à la sirène en répétant inlassablement sa note unique. Sylphie Waldorp, princesse déchue d'un empire imaginaire, aux traits caraïbes, auréolée d'une mélancolie parfaite, était d'une beauté imparable. Lorsqu'elle atteignit la jeune puberté, Alban en fit la courtisane la plus prisée de Treme, tout en préservant sa chasteté. Il racontait à ses clients que la vie de Waldorp et la mémoire de son pays et de ses parents disparus ne tenaient qu'à cette note chevrotante. La réputation de l'orpheline se nourrissait à ce qu'elle n'accueillait chaque homme qu'une seule fois, leur sifflant longuement sa note, et ne leur permettant rien de plus qu'un baiser, elle-même entrouvrant à peine les lèvres.

À l'automne 1919, le capitaine Alban mourut, poignardé dans le lit de Waldorp par un client jaloux. Absente des lieux au moment du délit, la jeune femme disparut du coin de Lafayette comme si elle n'avait jamais existé. Bill Bridges, un entrepreneur imaginatif, s'enrichit pendant un mois en faisant humer son parfum en voie de dissipation pour un dollar.

Dans certains clubs du quartier français, l'orchestre clôt les soirées en jouant « Sylvie Sylphie[2] », la chanson la plus courte du répertoire : une note unique dont le sifflet doux et lancinant semble se prolonger indéfiniment en mémoire.

Œuf de Colón
Extraits de patience

Selon le forain Phileas T. Barnum, cet œuf aurait traversé l'Atlantique sur la *Santa María,* la caravelle de Cristóbal Colón, et contiendrait un fœtus de petite fille. Sir Walter Raleigh l'avait en sa possession avant son emprisonnement.

Barnum le présentait aux visiteurs distingués de son musée des merveilles. Une visite de Benjamin Franklin marqua la fin de ce traitement de faveur. Il guida le philosophe, sur la pointe des pieds, jusqu'à son bureau, extrayant cet œuf d'un tiroir capitonné de billets, en lui disant que la fille de Cristóbal Colón y dormait pour toujours, et que, s'il le portait à sa distinguée oreille, il entendrait tous les noms indiens de l'Amérique, ceux de tous ses animaux et de ses plantes, dans un inlassable refrain.

Barnum échappa l'œuf en voulant le remettre à Franklin, éclaboussant sa redingote. Il se répandit en excuses, mais Franklin, de toute évidence, crut à une autre mise en scène de l'entrepreneur. Dans son *Autobiography,* il ne mentionne même pas l'incident.

Œuf d'or
Extraits de patience

Rodolphe II, roi de Hongrie et de Bohême, archiduc d'Autriche et empereur romain d'Occident, patron convaincu des arts occultes, faisait décapiter, après les avoir généreusement financés, les alchimistes qui ne réussissaient pas à concocter l'élixir de Jouvence, ou à créer de l'or à partir de matières moins nobles.

Cet œuf est le résultat d'une expérience menée par le thaumaturge Ignatius Neruda. On raconte que son jaune est d'or liquide. La composition chimique du métal existe dans un état instable, et ses chaînes atomiques se délieraient au contact des airs. La pépite ne peut donc survivre que si la coquille demeure intacte.

Comment Neruda proposa-t-il de prouver au roi qu'il avait réussi la transmutation de la matière en or ? L'habillant d'un collet bouffant et d'un élégant chapeau à plumes d'oie, il présenta Dasha, la poule qui pondit l'œuf d'or, à la cour assemblée. Neruda l'avait préalablement droguée de diverses concoctions, afin de s'assurer de sa performance. Malheureusement pour lui, qui se perdait en discours grandiloquents, elle refusa obstinément de couver son œuf, soigneusement disposé dans un nid tressé de la plus fine dentelle.

Le roi, qui appréciait le sophisme, et le spectacle d'un alchimiste se débattant avec une volaille déguisée en aristocrate, interrompit la démonstration et ordonna qu'on place l'œuf dans un écrin de velours, dans la Chambre du trésor. Neruda, quant à lui, poursuivit sa carrière dans les cuisines du palais, où son premier mandat fut de déplumer et de préparer Dasha, la poule à l'œuf d'or, pour le repas du soir du roi.

Si on porte l'œuf, d'un poids anormal, à son oreille, en l'agitant doucement, on entend clairement qu'il contient un objet solide. La famille royale, par souci historique, refuse d'en fendre la coquille.

Page vierge   P
Correspondance personnelle

Clara Zonn anima, au 42a, Regent's Lane, à Londres, The Library of Lost Time. The Clara Press, branche d'édition de l'entreprise, offrait un insolite service de publication sur demande. En échange du prix d'impression, de révision et de correction pour un tirage de 500 exemplaires, augmenté d'une commission de 5 %, Zonn promettait de publier le manuscrit du client, mais seulement au moment de son décès. Les livres, d'élégants in-octavo mis en pages selon le nombre d'or, étaient imprimés sur du papier bible, dans une reliure de tissu coloré cousue à la main.

1 Miss, please take my book, I must leave the world.

2 Kiss us goodbye and the deed is done.

Le nom de l'auteur et le titre de l'ouvrage apparaissaient en ocre sur le dos, dans un dépouillement d'une élégance irréprochable, dont on disait, dans les cercles mondains, qu'il faisait écho à l'allure de Clara Zonn, une beauté effilée, aux manières impeccables, officiant dans sa Library, de midi à dix-sept heures tous les jours de la semaine, comme une dame de salon de la grande époque.

The Library of Lost Time occupait le rez-de-chaussée d'un petit cottage de ville. Une grande vitrine laissait entrevoir une pièce dénudée, drapée de velours rouge. Deux fauteuils de la même étoffe entouraient une table circulaire où étaient posés un cendrier, une boîte d'allumettes en agate ornée d'un pélican, un pichet de limonade et un gobelet de cristal. Le catalogue de la maison était posé sur la table. Clara y invitait ses clients à inscrire le titre de leur ouvrage de leur propre main, comme s'ils signaient le registre d'un hôtel. En frontispice figurait cette devise : « Madame, veuillez prendre mon livre, je dois m'absenter du monde[1]. »

En 1944, le catalogue répertoriait plus de 451 ouvrages, pour la plupart écrits par des hommes. Cette prépondérance d'auteurs masculins est peut-être explicable par le fait que Clara scellait le contrat d'édition avec un triple baiser sur les joues, à la mode parisienne, en effleurant doucement les lèvres de ses clients. Sur sa carte d'affaires, imprimée au plomb sur un carton de visite en papier de lin, on pouvait lire cette phrase sibylline : « Un baiser d'au revoir et c'en est chose faite[2]. »

Il était possible de consulter, de midi à dix-sept heures, contre une somme modeste, n'importe lequel des ouvrages de la maison. Zonn s'éclipsait alors au premier, et revenait offrir au lecteur le manuscrit choisi. Elle s'installait dans un des fauteuils et grillait cigarette après cigarette pendant que le client lisait à ses côtés. Très souvent, des hommes espérant la séduire s'installaient là, et tentaient vainement d'engager la conversation. S'ils relevaient la tête de l'ouvrage, elle les questionnait sèchement sur leur manque d'intérêt. Ils faisaient mieux de continuer à lire.

Zonn, qui ne quittait pour ainsi dire jamais son commerce, habitait à l'étage, où, à ce qu'on sache, elle n'invitait jamais personne à monter. Ses admirateurs — et certains séducteurs frustrés par cette proie élusive — racontaient la splendeur baroque de ses appartements privés, un labyrinthe de drapés soyeux, où les murs ployaient sous le poids des objets précieux et des manuscrits inédits.

Geraldine Pushpenny, secrétaire du docteur Aloysius Tattertale, dont le cabinet a pignon sur rue au 39, Regent's Lane, à Londres, déposa la page blanche que voici, une feuille de la même variété que le papier utilisé par la maison, à la Library. Seule cette page vierge survécut à l'incendie qui ravagea la Library et le Midsummer's Antiquarian Bookstore voisin le 29 octobre 1944, emportant avec lui toute la littérature invisible que Clara Zonn avait amoureusement préservée, et avec laquelle elle aussi s'envola en une délicate fumée.

Papalivre
Extraits de patience

Ce carnet est relié dans la peau tannée d'un lion du Kilimandjaro. C'est une relique du parcours africain du viril Ernest Hemingway, qui aurait appartenu à un de ses guides, Ouafo Nono. Hemingway dictait à son compagnon le résultat de ses chasses.

Les premières pages sont couvertes de dessins naïfs d'antilopes, de gazelles, de rhinocéros et de

tigres, qui ne sont pas sans rappeler le style des peintures rupestres. Le cahier central contient une image des pics jumeaux du Kilimandjaro, auréolés de nuages. Il neige de gros flocons sur le Furtwängler, au sommet du Kibo, alors que Nono a dessiné un avion biplan décrivant des cercles autour du piton rocheux de l'Uhuru.

Une tête de lion au regard mélancolique, les mâchoires grandes ouvertes, surplombe la mythique montagne, comme une de ces figures héraldiques qui indiquent le nord sur les cartes géographiques. Au pied du massif, un rhinocéros blanc, la gueule béante, mugit vers le ciel, en rut ou enragé. Le nom Margot apparaît dans une bulle de pensée au-dessus de sa tête, dans une inquiétante préfiguration de la fille d'Hemingway. Les pages suivantes sont vierges. Sur les deux derniers folios, on peut lire, dans une éclaboussure de sang, étendue du bout du doigt, le surnom d'Hemingway : « Papa ».

Pas perdus
Extraits de patience

1 L'uomo che aspettava alla tavola del caffé di Monterosso è svanito anche lui insieme alla nebbia.

Ces quatorze noyaux d'olive furent semés le long du sentier montagneux qui relie, sur la côte de La Spezia, en Italie, les cinq pittoresques villages des Cinque Terre, soit, du sud au nord, Riomaggiore, Manarola, Corniglia, Vernazza et Monterosso al Mare.

Les petits Dieter et Maria Kern, originaires d'Autriche et âgés respectivement de sept et douze ans, achetèrent quatorze olives noires, une *ciabatta* et une pointe de fromage de chèvre à Antonina Guerra, une jeune boulangère de Riomaggiore, qui remarqua les traits tirés par la lassitude des petits. Ils n'avaient que quelques piécettes, insuffisantes pour régler la transaction, et prétendirent que leurs parents les attendaient au bout du sentier. Ils ne purent donc pas prendre le train qui serpente de Riomaggiore à Monterosso al Mare.

Un homme, qui était peut-être leur père, attendait à la terrasse du Café de la gare, en buvant un allongé sucré, et en dénoyautant des olives noires de la même variété que celles des enfants.

Ce jour-là, une brume étrange, levée du large en plein après-midi, nappa le sentier montagneux, et les enfants disparurent. Le dernier à les avoir vus est un forain grec, Theodoros Omichli, qui avait choisi de dormir dans un des cimetières qui jalonnent le sentier. Il devait rejoindre la troupe de théâtre Thiasos à Riomaggiore. Il affirme que les enfants dormaient, le soir précédent, lovés l'un contre l'autre, grande sœur et petit frère, au pied du chêne qui dominait le cimetière. L'enquête révéla que les enfants étaient partis d'Allemagne après la mort soudaine de leur mère, à la recherche de leur père.

On soupçonna Omichli qui, en retournant vers Riomaggiore, ramassa les quatorze noyaux. Il fut emprisonné jusqu'à ce que la boulangère témoigne en sa faveur. L'homme qui attendait à la table du café de Monterosso « s'effaça lui aussi avec la brume' », laissant sur la table, en guise de pourboire, une poignée de quatorze noyaux.

Pavé de Prague
Extraits de patience

Ce pavé, typique du revêtement des rues de Prague, a entraîné la défenestration du docteur Augustus von Rapperschwyll. Les prétentions mystiques de ce mathématicien lui valurent d'abord l'ire de ses collègues, puis son exclusion de l'Académie royale des sciences, et ce, malgré la formulation de la méthode

1 Doba, kdy obři, páni poli-
cisté, jsou přemoži-
telní kamenem či ženou,
neskončí.

de réduction von Rapperschwyll, encore en usage dans certains calculs prédictifs, notamment dans la recherche astronomique consacrée au mouvement des planètes proches.

Le docteur von Rapperschwyll reçut le pavé en pleine tempe et bascula, dans une parabole impeccable, de son balcon au trottoir, où il se fracassa le crâne. Monsieur Karel Chveik, à qui nous devons nous fier pour la reconstitution des événements, puisqu'il fut le seul témoin de l'accident, décrivit la flaque de sang qui s'élargissait autour de la tête du mort comme une ellipse parfaite.

Selon ses dires, monsieur Chveik, un journalier sans emploi, avait passé la journée sur un banc de la place qui fait face à la résidence du docteur, au 66, rue Charles. Vers dix-huit heures, il nota l'entrée chez von Rapperschwyll d'une voluptueuse femme blonde, dans un long manteau de laine cintré qui laissait deviner la générosité de ses formes. Une trentaine de minutes plus tard, une jeune femme aux longs cheveux noirs, vêtue d'une longue et seyante robe rouge, et coiffée d'un bicorne assorti, serti de pierres précieuses, sortit en trombe des appartements du docteur. D'un seul élan, elle se pencha pour saisir le pavé disjoint et le lancer vers la fenêtre ouverte, à l'étage, où le docteur contemplait son départ, à demi dissimulé par les tentures de ses appartements. Le témoin nota que leur coloration s'accordait parfaitement à la robe de la jeune dame, et qu'elles auraient bien pu être taillées dans la même étoffe. Puis ce fut la chute.

Une voisine de Rapperschwyll, Greta Kimmelstein, qui venait de s'acheter des abats pour préparer de la saucisse, avisa les gendarmes. Ils trouvèrent monsieur Chveik endormi sur la scène du crime, en état avancé d'ébriété. Son témoignage, entrecoupé de digressions délirantes sur la course des astres, l'alcool et l'éther, prit fin sur cette phrase sibylline : « L'âge où les géants, messieurs les gendarmes, sont abattus par un caillou ou une femme ne prendra pas fin[1]. »

Les gendarmes retinrent monsieur Chveik au poste. Il disparut comme par magie de sa cellule surpeuplée. À sa place, sur la banquette de bois où il s'était étendu, ivre mort, derrière la masse des mendiants et des ivrognes, une robe rouge, pliée en un rectangle irréprochable, dégageait un doux parfum de marguerite, mêlé à une vague odeur de soufre. La secrétaire du poste, Margarita Kippeldorf, une brunette, en hérita une fois que les autorités eurent conclu à l'identité fictive de tous les acteurs de cette sordide affaire, qui marqua la fin d'un des grands talents mathématiques de la capitale de Bohême.

Pierre frontalière
Extraits de patience

Les astronomes anglais Charles Mason et Jeremiah Dixon furent mandatés par la couronne d'Angleterre, de 1763 à 1767, pour tracer la ligne de division entre les États nordistes et les États sudistes des nouvelles colonies d'Amérique. Selon le mot de Benjamin Franklin, « la droite a beau être un des éléments les plus simples de la géométrie, il est parfois fort ardu de conformer la réalité aux désirs de la science[1] ».

Dans leur avancée, Mason, Dixon et leur équipage éprouvèrent toute la diversité et les rigueurs naturelles du territoire américain. Ils ramassèrent cette pierre calcaire aux environs du Tennessee. Sur une distance de plus de trois kilomètres, de telles pierres éclatées, traversées d'une ligne blanche, marquaient de leur pointillé naturel l'emplacement exact où les astronomes devaient tracer la frontière.

[1] A straight line might well represent one of the simplest elements of geometry, but it is often very hard to conform reality to the wishes of science.

[2] Our work was traced in advance for us; let us move forward.

On a souvent dit que la ligne Mason-Dixon était la cicatrice d'une blessure à venir, leur tracé d'arpenteur inscrivant dans la conscience américaine comme un blason prémonitoire de la guerre de Sécession. Les deux scientifiques notèrent l'existence de cette étrange frontière naturelle avec le laconisme propre à leur profession, mais ils ne manquèrent pas de s'en étonner. Un membre de leur équipage nota dans son journal ces paroles ironiques de Mason : « Notre travail a été tracé d'avance pour nous. Continuons à avancer[2]. »

Plume d'Icare
Extraits de patience

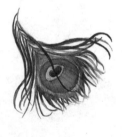

1 Ο Ίκαρος συγκέντρωνε όσα χαμένα φτερά μπορούσε να βρει και, ανακαλύπτοντας ότι, παρά την αιχμαλωσία του, δεν είχε χάσει ίχνος από την ενδυματολογική του φαντασία, αισθανόταν μεγάλη χαρά.

On représente Icare vêtu d'angéliques plumes blanches, colombes ou pigeons plumés. La fantaisie des rois, qui leur permet de s'entourer des merveilles du monde, est capable d'assembler des volières ô combien plus exotiques. Cette plume de paon, retrouvée dans le palais de Cnossos par l'archéologue grec Odysseus Koinos, fit selon lui partie de la ramure d'Icare. « Icare rassemblait toutes les plumes perdues qu'il pouvait trouver et il est fort réjouissant de découvrir que, malgré sa captivité, il n'avait pas perdu sa fantaisie vestimentaire[1]. »

Bruegel le Jeune, qui la reçut en cadeau de son père, l'agrafa à son chapeau lorsqu'il peignit sa *Chute d'Icare,* où le héros grec, mort parmi les hautes herbes, est pourtant blanc-ailé. Il préférait sans doute ignorer l'évidence de l'histoire au nom de la vérité esthétique.

On la retrouve enfin en possession de l'écrivain frondeur Cyrano de Bergerac, au 17e siècle, qui lui aussi porta cette plume à son chapeau, répétant à qui voulait l'entendre qu'il « entretenait ainsi sa chute ».

Plumes mortifères
Collection du miroir

Dans ses *New Arabian Nights,* Robert Louis Stevenson décrit les activités d'un *suicide club* actif dans l'underground londonien. Les cyniques qu'il réunit scellent des pactes de suicide suivant les diktats d'un jeu de hasard.

Des recherches récentes prouvèrent l'existence de ce « club du suicide ». Certaines des minutes exhaustives des rencontres de ses membres, détaillant des dizaines de plans de suicide sordides, ont été découvertes par des agents de Scotland Yard en face des bureaux de l'agence, dans un appartement abandonné surplombant la Tamise. Ces documents permirent d'élucider plusieurs décès insolites parmi l'élite londonienne.

Des plumes usées accompagnaient les documents. La lame de rasoir nous rappelle que la dernière page fut signée avec une encre de sang.

Les membres du club semblent avoir mis fin à leurs activités au début des années vingt.

Poussière de Zénon
Extraits de patience

Cette boule de poussière a été obtenue par l'inventeur allemand Willhelm Österlich, qui appliqua à un bloc de marbre la méthode de réduction du docteur Sierpiński, une variation volumétrique sur les paradoxes du mouvement de Zénon d'Élée. Le bloc initial, une borne longiligne, est coupé en son milieu. On répète l'opération sur les blocs résultants, et ainsi de suite, jusqu'à ce que les outils faillent à la tâche[1].

1 Le tapis de Sierpiński

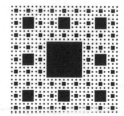

Des maîtres artisans tailleurs de marbre, munis de leurs indomptables scies, entamèrent le travail. Sierpiński fit ensuite livrer des Indes occidentales des

2 Berlin-Brandenbur-
gische Akademie der
Wissenschaften

3 *Annalen der Chemie*

ulavalu, rarissimes insectes mangeurs de pierre, dotés d'une dentition parfaite, dressés et drogués pour manger en ligne droite. Enfin, Österlich appliqua une formule chimique développée avec l'aide d'un laboratoire militaire allemand et capable de désagréger les atomes le long d'axes parfaitement droits.

À la fin du processus, il ne demeura qu'un rectangle de poussière. Un jour de printemps où un inconscient — peut-être Österlich lui-même, épuisé par ses travaux — avait laissé la fenêtre ouverte, un coup de vent tassa le résultat de cette opération d'une précision obsessive en un banal tas de poussière.

Le chercheur d'infini n'arriverait plus à répéter l'expérience. La communauté scientifique n'a pas l'habitude de croire ses membres sur parole, et Österlich fut renvoyé de l'Académie des sciences de Berlin[2] un an après avoir publié ses résultats de recherche dans les *Annales de chimie*[3].

Q Quarante-cinq tours de l'au-delà
Extraits de patience

1 Death makes no more sense
than our lives, but it still
has meaning.

2 Each record is a hole in
time, each heart a song and
a sting.

3 I had fallen into a hole
in time.

« Notre mort n'a pas plus de sens que notre vie, mais elle a encore un sens[1]. »

Ce quarante-cinq tours aurait été enregistré à Huntsville, en Alabama, dans un poste d'enregistrement individuel, sorte de photomaton sonore répandu à l'époque. Quand on y pose l'aiguille, le disque émet un concert d'égratignures. Il faut donner un bon coup sur la platine pour que le hoquet du disque fasse entendre une mélodie lancinante, répétitive, dont l'écoute attentive provoque le somnambulisme chez la plupart des auditeurs. Une seule phrase est répétée, sans variation essentielle, sur fond de cordes lointaines : « Chaque disque est un trou du temps, chaque cœur, une chanson et une piqûre[2]. »

Quand on fait jouer le disque à l'envers, la surface, sautillante et rayée, émet un tumulte de murmures de plus en plus insistants. Le chaos chuchoté se résout en un coup de vent, une rafale emportant les voix pour faire place à un grognement, qui se précise en roulements de tonnerre. Puis des paroles s'articulent dans un grommellement sourd, bégaiement d'une brute qui implore qu'on l'écoute. Elle se dit « tombée dans un trou du temps[3] ».

La face B est une version maladroite de « Everyone's Gone to the Moon ». On croit que l'interprète est Edgar Cayce, le mystique américain, qui prétendait photographier les morts dans son studio de Hopkinsville, au Kentucky. Des copies pirates de l'enregistrement circulaient dans les salons spirites populaires au tournant du 20ᵉ siècle, où l'on soutenait qu'il s'agissait de l'enregistrement de la voix d'un mort, dont le fantôme se serait égaré à proximité du studio de Cayce.

Retrousse-poils, 1969   R
Collection de Prague

Cette pièce de fer rouillée, abandonnée sur le chemin de Cadaqués, a appartenu au génie autoproclamé Salvador Dalí. Il enduisait ses moustaches de brillantine, en insérait tour à tour les extrémités dans la partie annulaire de l'appareil et, d'une torsion virile du poignet, les frisait.

Son voisin, Étienne Vermil, un sculpteur travaillant le bois et le métal, récupéra l'instrument sur le chemin du village quelques années après la mort du peintre catalan, alors qu'il s'y baladait avec son épagneul andalou, El Buñuelo. Les historiens de l'art soupçonnent aujourd'hui qu'il prit part, avec un ferblantier du village, à la conception de l'instrument.

1 ¡Por los pelos de mis pinceles, Gala! ¡Nada se yergue aparte de mis bigotes! ¡No pinto más que lo blando!

Deux ans auparavant, Vermil travaillait dans sa cour quand il entendit Dalí hurler au téléphone, se disputant sans aucun doute avec Gala, alors en résidence dans le château que le peintre avait restauré avec elle à Púbol. Ses paroles auraient été les suivantes : « Par le poil de mes pinceaux, Gala ! Il n'y a pas que mes moustaches qui se redressent ! Je ne peins pas que du mou'! »

Le peintre, vociférant, sortit en trombe de sa demeure, l'instrument en main et la moustache — étonnamment — rasée, pour remonter le chemin vers le village, où une voiture le conduirait vers Gala et son château en faisant lever la poussière.

Les historiens de l'art remettent en question la véracité des propos de Vermil, artiste de moindre renom, qui, confiant la vente de ce retrousse-poils aux encanteurs, en retira un bénéfice plus élevé que pour la vente de n'importe laquelle de ses œuvres.

Rhino origamique
Extraits de patience

1 Patron du rhinocéros d'origami

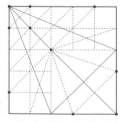

2 *The Last White Rhinoceros of Kilimanjaro*

Ce rhinocéros d'origami',confectionné avec une seule feuille, est dit représenter le dernier rhinocéros blanc du Kilimandjaro², personnage principal d'un film d'amour africain du même nom, qui joua sans interruption pendant trois années sur l'écran du cinéma Copakinocabana de Moshi, au pied du pic légendaire. Les premières projections n'attirèrent personne. Les propriétaires du cinéma insistèrent. Au bout d'une année complète de projections, ils purent se vanter que le visionnement du *Dernier rhinocéros blanc du Kilimandjaro* était devenu aussi populaire auprès des touristes que les tours en avion autour de la cime de la montagne, en plus d'être beaucoup moins coûteux. L'animal de papier, laissé derrière lui par un Japonais particulièrement larmoyant, fut posé à la place d'honneur, sur le comptoir en laiton du guichet principal, afin d'accueillir les spectateurs aux représentations.

Le dernier rhinocéros blanc du Kilimandjaro raconte les amours frustrées d'un rhinocéros dont l'amante a été abattue par un écrivain en mal de brutalité, un homme barbu et bourru, joué par un Noir enduit de farine. Le rhinocéros amoureux décrit en mugissant des cercles autour du sommet enneigé du Kibo, le pic le plus élevé de la montagne, en une succession de plans de plus en plus serrés. Les chasseurs ont tôt fait de le pister et de l'abattre au pied d'un majestueux et solitaire baobab, poussant seul près du sommet. (La présence de cet arbre est bien sûr une fantaisie, un déracinement symbolique.) La scène finale passe des visages poudrés et sadiques des chasseurs aux traits agonisants du rhinocéros versant une larme ultime, au tronc percé par les balles du baobab, ruisselant de sève. La caméra remonte ensuite vers la ramure pour se perdre, en un mugissement ultime, dans le feuillage, le vert et la lumière.

Les rhinocéros amoureux sécrètent des odeurs nauséabondes, et le public du Copakinocabana avait l'habitude de s'enduire de jus d'ordures et de sueur avant d'entrer au cinéma. Après, c'était à qui verserait le plus de larmes pour se « laver de l'amour ». Dans la communauté des origamistes, on dit que les angles de ce rhinocéros au patron particulièrement complexe ont été assouplis par les larmes de son plieur.

Rosée sélénite, 1984
Collection du miroir, Collection de Prague

Jean-Baptiste Bergerac, de Rosemère, Québec, Canada, passa sa jeunesse à s'entraîner pour devenir cosmonaute. Ses performances athlétiques et académiques étaient exemplaires, mais sa candidature au programme spatial canadien fut rejetée pour cause de myopie.

Jean-Baptiste devint par dépit un alpiniste de calibre international. Nul ne connaissait les motifs de son changement de vocation, jusqu'à sa mort, survenue lors d'une excursion au K2 en 1984, et la découverte de son journal personnel. Dans son journal, Jean-Baptiste décrit comment il a surmonté son deuil à l'aide de la « science des solutions imaginaires ».

Apparemment, son ascension du K2 faisait partie d'un vaste programme de collecte de « rosée lunaire » sur les plus hauts sommets du globe, créé afin « d'inverser le chemin de l'aube et d'être emporté par la marée lunaire par-delà la stratosphère ». Ses partenaires d'expédition témoignent qu'ils virent, le jour précédant la découverte du cadavre nu et bleu de Jean-Baptiste, ce qu'ils crurent être « le mirage d'un homme nu dansant sous la lune, bras levés vers le ciel étoilé ».

Ces fioles remplies de neige fondue provenant de différentes parties du K2 furent trouvées dans son havresac. La dernière entrée du journal de Jean-Baptiste se lit comme suit : « Moi, Sisyphe libéré par la rosée. »

Rouages de V, 1975
Collection de Prague

De la république concentrationnaire de V, au large de la Terre de Feu, il ne subsiste qu'un conte cauchemardesque, consigné dans le journal de voyage d'Antoinette Péritoine.

Cette millionnaire tenait une partie considérable de sa fortune de la publication d'un hebdomadaire fondé par ses parents, *Verbo, le journal des loisirs.* *Verbo*, compendium de distractions mathématiques, logiques et littéraires à la couverture jaune criard, paraissait chaque dimanche. Les piétons du Paris des années soixante se souviennent de la guirlande colorée des *Verbo* suspendus à la devanture des kiosques à journaux.

À la dernière page de chaque édition figurait une grille thématique de 100 cases, dont les sujets ressemblaient à ceux d'une encyclopédie jeunesse. En 1969, par exemple, des grilles portent les titres « Animaux chassés par des écrivains », « La Russie au seuil des astres », « Splendeur et périls de l'atome », « Têtes d'œufs et visiteurs du ciel » ou « La mort de John Fitzgerald Kennedy ».

Verbo se vantait de publier « les mots croisés les plus mystérieux du monde ». La rédaction refusait de révéler la solution des grilles thématiques. Leur préparation était confiée à des auteurs anonymes. La distribution des cases noires, trop rares ou trop présentes, et la formulation sibylline des indices[1] décourageaient d'emblée les cruciverbistes du dimanche.

Quand *Verbo* publia le chef-d'œuvre d'un inconnu, une grille consacrée aux « Grands explorateurs » qui ne comptait aucune case noire, plus de soixante-quatre solutions apocryphes, incompatibles mais complètes, furent proposées[2]. Les gamins, dans les lycées de France, se vantaient de détenir la clef de l'énigme et escroquaient à qui mieux mieux leurs collègues plus naïfs, faisant main basse sur leurs goûters et leurs confiseries contre une promesse, un bout de papier ou un murmure indéchiffrables.

Antoinette Péritoine s'était peu à peu retirée des affaires de la compagnie pour s'occuper de son fils autiste, Gustave, qu'on soupçonnait d'être l'auteur des puzzles les plus abscons de *Verbo*. Elle avait décidé de suivre les côtes d'Amérique du Sud à bord du *Jules*

1 Ex : Horizontalement, 9 : *De quelle couleur est le cheval blanc de Napoléon ?* R : Honteuse.

2 El *Cachalote incierto*, Francisco Cararroja, el pirata misericordioso, capitán.

Verne, accompagnée de son fils, qu'elle avait entraîné avec elle dans ce voyage avec l'espoir que quelque image insoupçonnée de l'hémisphère sud le fasse enfin sortir de lui-même et naître au monde. Le *Jules Verne,* un yacht de plaisance, était piloté par Gérard Pimprenelle, un vétéran de la Deuxième Guerre mondiale qu'une explosion avait rendu sourd et muet.

Après quarante-six jours de navigation, le *Jules Verne* fit naufrage sur un banc de coraux au large de la Terre de Feu. Pimprenelle fut retrouvé, flottant sur un radeau de fortune, par un baleinier de passage, le *Cachalot incertain,* commandé par Francisco Cararroja, que ses hommes surnommaient « le pirate miséricordieux [2] ». Pimprenelle, le visage ruisselant de larmes, présenta, comme seul témoignage de son malheur, devant les marins assemblés, deux petits cahiers. Le premier était un carnet où Gustave griffonnait indéfiniment la même phrase, « Le cervo en poche de V ». Le second était le journal d'Antoinette Péritoine.

Le journal de Péritoine, qui se lit comme le carnet d'un grand explorateur, décrit une anti-Atlantide fabuleuse et cauchemardesque, connue seulement sous le nom de V. Selon la relation de Péritoine, l'immigrant à V perdait d'abord son nom, réduit à l'initiale de son prénom, accompagnée d'un chiffre. Par exemple, Gustave y aurait été connu sous l'appellation G1, et Antoinette, A9. L'insulaire entrait alors dans le Système et acceptait de se soumettre aux diktats de la Machine centrale. Ce cerveau artificiel était en permanence occupé à calculer, à partir des identifiants des insulaires, leurs relations obligées. La moindre activité était fichée, et son accomplissement imposé par la police perpétuelle des semblables, qui y voyait comme la preuve rationnelle de la bonne gouvernance de la Machine. La constante réduction de l'assouvissement des besoins primaires transformait vite le nouvel arrivant en une créature rachitique et stérile, suspendue au seuil minimal de l'être, et semblable à tous les autres insulaires. Ensemble, ils se soutenaient dans l'illusion d'avoir choisi cette vie-là.

Le cahier mentionne les trois écrous illustrés ci-haut. Ils seraient les seuls vestiges de la Machine centrale, récupérés par Péritoine lors de son expédition dans les ruines de l'île.

Rouleau de Turing, 1950
Collection de Prague

Alan Turing, logicien, héros de guerre et penseur sans repentir, mit fin à ses jours en croquant une pomme empoisonnée dans la nuit du 7 au 8 juin 1954. Au petit matin, Adelina Scuttlesnuff, la femme de ménage alors à son emploi, trouva la pomme entamée posée sur la table de chevet, aux côtés du cadavre de Turing. La thèse d'un assassinat fut rapidement écartée par ses biographes, qui préfèrent voir dans son geste, propre à une princesse de conte, le résultat d'un élan suicidaire.

Turing, un des maîtres d'œuvre des entreprises de décryptage de la Deuxième Guerre mondiale, avait été reconnu comme un héros par son gouvernement, ayant poursuivi les travaux entamés par les cryptographes polonais du Bureau du chiffre, Marian Rejewski, Jerzy Różycki et Henryk Zygalski, pionniers de la méthode dite de la *bombe,* une machine algorithmique qui postule qu'il est possible de déduire l'entière logique d'un système d'encryptage en cataloguant ses contradictions.

La vie de Turing est, comme ce dispositif, placée sous le signe de la contradiction. On fait remonter la genèse de son geste suicidaire à un incident survenu en 1952. À la suite d'un larcin vengeur organisé par

1 Turing est un des pères fondateurs de la computation contemporaine. L'expérience de pensée du jeu d'imitation est décrite dans l'essai «Computing Machinery and Intelligence» (*Mind,* 1950). Turing l'a imaginée comme un moyen de déterminer si une machine peut être dite pensante. La preuve passe par une mise en scène élaborée : une femme et une machine programmée pour répondre à des questions formulées en langue humaine sont placées dans une chambre close. Le joueur, ou interprète, les interroge à l'aide d'un téléscripteur, et doit déterminer, à l'issue du dialogue, qui des deux est la femme et qui la machine. Qu'un homosexuel opprimé imagine une mise en scène où une femme est garante de l'existence de l'âme humaine est un vibrant témoignage de la contradiction interne vécue par le logicien, divisé tel qu'en lui-même par les mœurs de sa société.

2 A: What secret messages does an apple exchange between its halves?

A1: The apple cultivates poison at its heart.

A2: The poison in the heart of the apple does not come from outside.

A: What do you mean?

A1: That poison begets poison, and needs no other reason.

A2: For my part, I wouldn't know, but I appreciate the rhyme.

3 A: I don't drink milk anymore.

A2: I will burst with it when I am pregnant.

A1: In life or death, I am forced to abstain.

A: And what do you think of that?

A2: Sex is a secret we all share.

4 Do you love me? Who do you love most? I love you. I don't love you.

5 I tried to flush it down the toilet so that my dear employer would no longer suffer from his reputation.

un amant de passage, Turing avait en toute candeur avoué son homosexualité à la police. À l'époque, en Angleterre, ce penchant était reconnu comme une « grossière indécence » (*a gross indecency*) et considéré comme l'effet d'une maladie mentale. Oscar Wilde avait déjà subi les sévices de ce jugement. Turing, afin d'éviter l'emprisonnement, accepta d'être soumis à des traitements à l'œstrogène qui affectaient profondément son moral. Paradoxalement, cette médication qui devait le rendre plus masculin lui « féminisait » la poitrine.

Mademoiselle Scuttlesnuff trouva également un rouleau de papier hygiénique déployé depuis les cabinets jusque sur le sol du séjour. Sur chacune des feuilles de ce rouleau étaient inscrites, au crayon à mine de plomb HB, de la main de Turing, les répliques d'un dialogue entre Alan, Alain et Aline, abrégés en A, A1 et A2 dans la suite de la transcription. Il est permis de croire qu'il s'agit des moments d'un test de Turing, ou « jeu d'imitation », mise en scène notionnelle qui permet de déterminer si on peut *croire* à l'intelligence d'une machine comme à celle de n'importe lequel d'entre nous¹. Le papier, chiffonné pour la plus grande part dans les bidets bloqués, était, malheureusement, largement illisible. Les extraits les plus probants, interprétés par la division cryptographique de Scotland Yard, sont reproduits ici.

Le rouleau rappelle la modélisation des machines logiques par Turing, qui les représente comme un ruban infini, divisé en cases de taille égale, où la présence ou l'absence d'un signe, son inscription ou son effacement, permettent de figurer toutes les possibilités de la logique, qui, par quelque enchevêtrement d'une complexité sans cesse croissante, donneraient éventuellement lieu aux opérations de la conscience. Les dispositifs de Turing appartenaient encore, à l'époque, au domaine de la spéculation.

Cela dit, les récents progrès des machines de computation ont enfin permis de mettre en scène son « jeu d'imitation ».

Les premières cases du rouleau trouvé dans l'appartement de Turing se lisent donc ainsi :

ALAN (A) : Quels messages secrets s'échangent les deux moitiés d'une pomme ?

ALAIN (A1) : La pomme cultive un poison en son cœur.

ALINE (A2) : Le poison au cœur de la pomme ne vient pas de l'extérieur.

A : Que voulez-vous dire ?

A1 : Que le poison engendre le poison, sans aucune autre raison.

A2 : Pour ma part, je n'en sais rien, mais j'apprécie la rime[2].

Plus loin, il est question du goût du lait :

A : Maintenant, je ne bois plus de lait.

A2 : Une fois enceinte, je vais en déborder.

A1 : Dans la vie ou la mort, je suis contraint de m'abstenir.

A : Et que pensez-vous de cela ?

A2 : Le sexe est un secret que nous partageons tous[3].

Ce passage constitue peut-être une évocation de Christopher Morcom, amour écolier du logicien, décédé des suites d'une tuberculose bovine. Sa mort poussa Turing, alors âgé de quinze ans, à révoquer sa foi, à se déclarer athée et à tenter de démontrer la nature de l'âme par la logique.

Le dialogue reprend ensuite sous la forme d'un long débat amoureux, où le logicien échange avec A1 et A2 à coup de « M'aimes-tu ? », « Qui aimes-tu le plus ? », « Je t'aime », « Je ne t'aime pas[4] ».

Mademoiselle Scuttlesnuff avoua plus tard avoir, dans un élan paniqué, épongé ses larmes avec le rouleau, puis l'avoir chiffonné dans les bidets, pour « que son cher employeur n'ait plus à souffrir de sa réputation[5]».

Ruban zénoïque
Collection du miroir

1 I vanish from the coast of Britain and light out for the October Country.

Ce ruban à mesurer fut offert à mademoiselle Zeno, l'enfant prodige, pour souligner son cinquième anniversaire.

Clara Zeno enchanta l'Angleterre et l'Europe tout au long des années trente grâce à sa prodigieuse capacité de mesure : par un simple regard, elle savait établir les dimensions exactes de tout objet, selon le système métrique ou le système impérial, au choix.

Lorsqu'elle mettait son don en pratique, Clara fixait intensément les objets, serrant son ruban à mesurer en boule dans son poing droit.

Madame Herménégilde Zeno, une Française qui avait traversé la Manche pour épouser l'exportateur maritime Joseph Zeno, raconte comment sa petite fille, munie de son ruban à mesurer et de son ardoise, se rendait tous les jours au bord de la mer dans sa ville natale de Brighton, consignant un charabia de mesures sur l'ardoise. Au retour, elle montrait fièrement ses « résultats » à sa mère, à qui elle assurait constamment qu'elle « approchait d'une solution ».

Clara disparut le 29 octobre 1944 lors d'un voyage à Land's End avec sa famille. Ses tournées à travers l'Europe l'avaient épuisée, et le docteur Aloysius Tattertale avait diagnostiqué chez cette enfant généralement taciturne un comportement profondément « spleenétique ». Il avait prescrit un voyage de repos.

Le ruban a été trouvé par la mère de Clara sur la plage près de leur hôtel. Jusqu'à la marée haute, on put lire, dans le sable de la plage, la phrase suivante, de la même longueur que le ruban, déplié sous elle comme pour en souligner l'importance : « Je disparais de la côte de Bretagne et je m'éclipse au Pays d'Octobre[1]. »

Sac à souffle, 1970

Collection de Prague

Ce sac de coton tressé, rose d'un côté et blanc de l'autre, est de fabrication japonaise. Au moment où l'empereur Hirohito, en 1946, révoqua son statut de divinité, un petit groupe de terroristes, les Pétales de la fleur divine[1], organisèrent des rapts sinistres. Ils enlevaient les enfants de ceux qu'ils avaient identifiés comme des « collaborateurs américains » et les séquestraient dans des souterrains de Tōkyō, coiffés de ce sac, « blanc comme la chair du *gaijin*, rosé comme celle du porc[2] ». Ce rapprochement méprisant résume à lui seul leur pensée esthétisante et raciste. La police militaire américaine démantela le réseau en 1947, après le douzième incident meurtrier.

1 聖花弁

2 外人の下皮膚のような白であり、豚の皮膚のような桃色である。

3 8歳以上のお子様には小さすぎます。

Ces accessoires refirent surface dans un autre contexte, au début des années soixante-dix. Certains éléments révoltés de la jeunesse nipponne s'en couvraient la tête, l'enveloppant ensuite d'un sac de plastique, soigneusement choisi pour son logogramme, qu'ils nouaient à l'aide d'un élastique afin de s'asphyxier, et ce, en présence de leurs amis assemblés. Ils cherchaient ainsi à s'enlever la vie en ressemblant aux biens de consommation qu'ils méprisaient. Cette vague de suicides stylisés coûta la vie à plus d'une trentaine de jeunes hommes et de jeunes filles.

Les cordons, qui pendent comme des antennes ou des crocs, donnaient des allures d'extraterrestres ou de bêtes en peluche à ceux qui s'ensachaient la tête. Une étiquette cousue à l'intérieur du sac se lit comme suit : « Trop petit pour les enfants de plus de huit ans*. »

Sachet sullivanien
Collection du miroir

1 To America and its machines, to the East Indies Company, and to me, Thomas Sullivan, retailer and inventor of the tea bag — the most commodious, most refined, and least costly means of sipping tea!

Thomas Sullivan, de New York, porta l'usage et la dégustation du thé à des sommets inégalés en introduisant sur le marché le dispositif du sachet de thé. Sullivan n'était pas tant un inventeur que quelqu'un qui savait reconnaître une bonne occasion d'affaires. Qui saurait mesurer l'écart exact entre opportunisme et inventivité ? Son innovation se fit par erreur, avec le concours des acheteurs. Afin de réaliser des économies sur les coûts d'expédition, Sullivan livrait en effet ses échantillons de thé dans de légers sacs de soie, que les clients négligeaient d'ouvrir et plongeaient entiers dans l'eau chaude. Il trouva encore moyen de réduire ses coûts d'exploitation en remplaçant la soie par de la gaze.

Quand il breveta le sachet de thé, le marchand eut la certitude qu'il ferait fortune. Il acheta le jour même un échantillon d'un thé extrêmement rare, un Lapsang Souchong cueilli lors d'éclipses lunaires par des orangs-outans domestiqués, rapporté par J. I. L. Jacobson de son dernier voyage dans les plantations interdites de Chine.

Muni d'un précieux sachet, monsieur Sullivan se rendit au Waldorf Hotel sur la Fifth Avenue pour prendre le thé de quinze heures. Il commanda trois petits-beurre et une tasse remplie d'eau chaude. Il consomma pensivement les biscuits puis se redressa, sollicitant l'attention de l'assemblée, qu'il considéra gravement, avant de lever bien haut son sachet, et de le tremper à trois reprises, chaque fois un peu plus longuement. Il proposa enfin le toast suivant : « À l'Amérique et à ses machines, à la Compagnie des Indes orientales, et à moi, Thomas Sullivan, revendeur et inventeur du sachet de thé — le moyen le plus commode, le plus raffiné et le moins coûteux de déguster le thé'! » Il renversa la tête en arrière, vidant d'un seul trait sa tasse et jetant alentour un sourire satisfait avant de se diriger vers la sortie. À l'heure du thé, dans les cercles mondains de la ville, on évoqua longtemps ce geste plein de panache.

Salive à Beckett, 1951
Collection de Prague

Cette pierre fut trouvée dans la bouche d'un vagabond de Provence, décédé dans une clairière. Si on en croit l'état de son pardessus, il rampait depuis des milles. Dans les poches du manteau, il y avait neuf cailloux presque identiques à celui qu'il suçait au moment de mourir.

Sa dépouille fut découverte par un randonneur français, Oneille Lecompte, qui fut voisin de Samuel Beckett. Lorsqu'il confia l'incident à l'auteur, celui-ci eut ce mot lapidaire, que l'on retrouve dans la bouche de Molloy : « Il y aura toujours la reptation. »

Saveur de l'avenir, 1955
Collection de Prague

Les pastilles Saturno, fabriquées en Italie, nous sont offertes dans cet emballage de papier ciré pittoresque, où figure une version stylisée de la planète annelée, élégamment inclinée sur son axe, sa surface marquée d'un croissant d'ombre parfaitement découpé, projeté par un corps céleste proche mais invisible. Cette

1 *Cari parenti, cari amici,*
Il mangiatore del pianeta
si avvicina. Parto per il
futuro, dove il mio esercito
m'aspetta. Non mi rivedrete
mai più. Ricordate tutto
l'amore e il rispetto che
sento per voi e per il mondo
che sono costretto ad abban-
donare. La sola speranza
di salvezza per il pianeta
dipende dalla mia partenza.
Vi devo lasciare. Siete voi
che mi avete insegnato il
mio dovere, e non lo dimen-
ticherò mai.

2 Questi dolcetti sono le mie
armi segrete.

3 Ti piacerebbe mangiare
un pianeta?

ombre, d'un vert extraterrestre, évoque la couleur, plus sombre, du bonbon rond.

Cet emballage a été retrouvé dans le manteau du petit Geppeto Amble, au moment de sa disparition du village de Riomaggiore, dans les Cinque Terre, le 31 octobre 1955. Une des poches de l'anorak abandonné sur la margelle du puits contenait ce bout de papier. Sur l'envers, dans les caractères minuscules et imprécis de son écriture enfantine, on pouvait lire cette improbable lettre d'adieu :

Chers parents, chers amis,
Le mangeur de planète approche. Je pars pour l'avenir,
où mon armée m'attend. Vous ne me reverrez plus.
Sachez tout l'amour et le respect que j'ai pour vous,
et pour le monde que je dois quitter. S'il a à survivre,
je dois partir. C'est vous qui m'avez appris mon devoir,
et je ne l'oublierai pas[1].

Geppeto, d'une intelligence précoce, affectionnait particulièrement les récits de science-fiction, les histoires de planètes proches et de voyages dans le temps. Ses parents toléraient ces lectures fantasques à cause de ses performances scolaires.

On soupçonna, dans l'affaire, Julio Collodio, qui décrivait ces petites douceurs aux accents de réglisse comme ses « armes secrètes[2] », lui permettant de garder son haleine fraîche et de gagner la faveur des enfants. Ce menuisier veuf, dont les enfants étaient mort-nés, avait coutume de s'installer sur le banc face à l'église San Lorenzo pour observer les enfants du village dans leurs jeux. Il offrait un bonbon Saturno aux solitaires qui se tenaient à l'écart, le regard égaré dans quelque lointain intérieur, avec cette unique invitation : « Voudrais-tu manger une planète[3] ? »

Il fut disculpé lorsque l'enquêteur, Alessandro Holden, grand amateur de science-fiction, établit

148

que l'ombre en croissant de cet emballage particulier était plus grande que sur les emballages habituels, comme si l'astre invisible qui projetait son ombre sur Saturne s'était rapproché. Dans son rapport, il prétendit que ce bonbon était soit une contrefaçon, soit une missive de l'avenir. Il quitta le service pour écrire des romans d'anticipation sous le pseudonyme de Buck Gordon. Son éditeur prétendait qu'ils avaient été traduits de l'américain. La justice emprunte des chemins retors : Collodio, condamné par la communauté, périt seul, auréolé d'une réputation de satyre.

Savonnette rimbaldienne
Extraits de patience

Ce pain de savon, miraculeusement conservé par le climat maghrébin, aurait récuré les aisselles d'Arthur Rimbaud, poète transfuge recyclé en trafiquant d'armes.

On distingue, en filigrane, le logotype de Vaissier Frères, cosméticien de Marseille, qui popularisa l'usage du savon du Congo, apanage des cocottes de Paris, grâce à une agressive campagne publicitaire. À la fin du 19ᵉ siècle, plus de 6000 poèmes vantèrent, sous la plume de poètes inconnus, les mérites des pains Vaissier dans la presse populaire. Les derniers vers de Rimbaud font sans aucun doute partie de cette masse anonyme. Un ultime geste poétique, passant l'éponge sur la prétention à la pureté littéraire.

Secret napoléonien
Collection du miroir

Les historiens et les biographes ont longtemps débattu, en vain, la question de savoir quel traumatisme avait poussé Napoléon Buonaparte à constamment tenir sa main droite sur son cœur. Le brigadier-major Alphonse Dupeuret, officier d'entraînement du Corse durant son bref séjour à l'École royale militaire de Brienne-le-Château, dans l'Aube, avance une hypothèse.

Dans son journal, à la date du 13 janvier 1789, Dupeuret révèle que « Buonaparte a encore taché ses gants d'inspection avec ses boutons gras, et que les ongles de sa main droite (particulièrement celui de l'index) étaient honteusement souillés ».

Le 19 janvier, Dupeuret écrit : « Mon gant droit est disparu. Je soupçonne Buonaparte, qui est un homme sale quoique rusé. »

Le gant était cousu à la doublure du côté gauche du dernier uniforme porté par Napoléon, à l'endroit du cœur.

STEPNIAC 3000, 1945
Collection de Prague

Le STEPNIAC 3000 était un prototype secret de cerveau artificiel, conçu vers la fin de la Deuxième Guerre mondiale par un groupe de cybernéticiens de la résistance polonaise. Il ne reste de cette improbable machine que cette plaque de métal, où la phrase « Mon nom est STEPNIAC[1] » est à peine déchiffrable sous la croûte de rouille.

Le groupe de recherche de fortune qui donna naissance au STEPNIAC était mené par le poète et mathématicien Zbigniew Elm, une relation lointaine de Nikola Tesla. Toutes les copies de son unique recueil, *La valise future*[2], se sont éteintes dans les flammes des autodafés. Selon Elm, « les meilleurs esprits de la résistance travaillaient tous au STEPNIAC sans le savoir[3] ».

1 Nazywam się Stepniac.

2 *Waliza przyszłości*

3 Najlepsze umysły Polskiego Ruchu Oporu pracowały nad tym w zupełnej nieświadomości.

4 Połączenie samojezdnej platformy dla gigantów, diabelskiej kolejki, ula oraz wiatraka.

5 To kołowrót codzienności pomaga nam czekać.

6 *Soliptyk*

Cette machine géante, assemblée à partir de pièces récupérées des ruines de la ville, fut installée dans les égouts de Łódź, et alimentée par les eaux de récupération. Le STEPNIAC visait à fonder la computation sur une autre base que la logique binaire, et devait penser par métaphores. La machine ressemblait, selon la phrase d'un résistant, Andrszej Norwid, à « un char allégorique pour géants, accouplé à une montagne russe, une ruche d'abeilles et un moulin à vent[4] ». Les résistants, occupés à survivre et à combattre, n'en voyaient guère la fonction, mais, au moins, « son manège occupait leur attente[5] ». De nombreux soldats ramenaient à Elm et à ses acolytes des pièces rescapées des décombres en surface.

En fait, le STEPNIAC 3000 écrivait. Il fut l'auteur d'une œuvre moderniste, entièrement rédigée en code, dont on peut traduire le titre polonais par le néologisme *Soliptique*[6]. Son personnage principal, identifié par la seule initiale w, est « un homme qui ne serait pas un homme mais une île, une île qui ne serait pas une île[7] ». Les personnages secondaires correspondent aux vingt-cinq autres lettres de l'alphabet, et semblent des versions, par trop pudiques, des inexprimables sentiments de cet homme inexistant. Chacune des lettres se transforme en « une femme qui répond à l'homme qu'elle fut[8] ». Nous devons ce résumé sibyllin et le récit du STEPNIAC à un certain monsieur Grotocki, qui nous posta cette plaque rouillée sans adresse de l'expéditeur.

Suture de Shelley, 1801
Collection de Prague

Mademoiselle Louisa Jones, gouvernante à l'emploi de la famille Godwin, veilla à l'éducation de la petite Mary Wollstonecraft Godwin depuis sa naissance

7 Człowiek, który nie był człowiekiem lecz wyspą – wyspą, króra nie była wyspą.

8 Kobieta, która odpowiedziała mężczyźnie którym była dawniej.

1 I thought it was only one of those charming and inspired rituals childhood invents for itself.

2 Il semble que l'aura de malheur entourant la maternité à Somers Town ait également entaché la vie de mademoiselle Grosseteste. On apprit plus tard la même année que l'ancienne gouvernante, portant un enfant illégitime, s'était fait avorter.
   On soupçonne la paternité du fils aîné de la famille Delphin, William Charles III. Mademoiselle Grosseteste, forcée de quitter son emploi, rejoignit Genève, s'engageant à titre de couturière pour un entrepreneur en pompes funèbres d'origine alémanique. Thomas Kissenfüller, qui était un ami de la famille Delphin, offrait à ses clients de faire broder en couleur, dans le rembourrage satiné de ses cercueils, une citation édifiante, qui «les apaiserait dans leur sommeil éternel» (*Ein erbauliches Zitat um unseren ewigen Schlaf zu stillen*). Mademoiselle Grosseteste travaillait de nuit à ces touches finales, debout devant les cercueils dressés, fil et aiguille en main. Elle ne quittait le salon qu'au moment où la citation disparaissait derrière la tête de la dépouille, pour rentrer seule chez elle.
   Elle mourut en 1805, à l'âge de quarante-deux ans, des séquelles d'une attaque de fièvre prolongée. Dans ses affaires se trouvait un grand cahier de composition, où elle consignait le nom de chaque mort, et la citation qui devait l'accompagner. On comprit alors que mademoiselle Grosseteste était légèrement dyslexique. La plupart des citations comportaient en fait des erreurs. Un client indigné de Kissenfüller qui eut vent de l'affaire alerta le Tout-Genève.

en 1797 jusqu'à l'âge de quatre ans. On se souviendra que Mary Wollstonecraft mère avait été emportée par la fièvre dix jours après avoir enfanté.

Les lettres de mademoiselle Jones témoignent de l'enfance heureuse de Mary au *Polygon,* manse des Godwin dans le quartier de Somers Town, à Londres. Elles ne font par contre aucune mention de l'incident survenu le 29 octobre 1801. Celui-ci éclaire les circonstances de son licenciement à la fin de l'automne, et préfigure les inventions gothiques de la romancière à venir. On en tient le récit d'Adelphine Grosseteste, gouvernante française à l'emploi d'une famille voisine, les Delphin, avec qui mademoiselle Jones avait l'habitude de papoter autour d'un thé, dans la maison de l'une ou de l'autre, les mercredis après-midi.

En décembre de cette année-là, William Godwin allait épouser sa voisine, la veuve Mary Jane Clairmont, qui avait déjà deux enfants, Charles et Clara Mary Jane. Ces circonstances auraient-elles perturbé la petite Mary? Mademoiselle Jones veillait aux préparatifs du repas du soir quand Mary, qui venait de commencer à marcher, se présenta dans la cuisine, titubante et en pleurs, l'index droit, qui saignait abondamment, en bouche.

Dans la salle de séjour, le parc de la petite gisait renversé sur son flanc. L'ensemble de couture que mademoiselle Jones avait posé sur la table d'une des causeuses était éparpillé sur le tapis aux motifs orientaux. La poupée préférée de Mary, une catin de chiffon doux, la bouche ouverte en un *o* d'émerveillement perpétuel, gisait par terre, son corps suturé de fil rouge.

Elle avait auparavant appartenu à Clara Mary Jane Clairmont, qui avait tenu à l'offrir à sa nouvelle demi-sœur dans un «charmant et inspiré rituel que l'enfance s'invente[1]». Dès leur rencontre, les deux petites furent extrêmement liées, comme si elles s'étaient *reconnues,* et on peut supposer qu'elles ont scellé, dans quelque recoin perdu de l'enfance, un pacte inaltérable. Un vœu, « Claire & Mary in æternum », gravé à la pointe d'épingle dans la patte torsadée d'une des tables à thé du salon, témoigne d'ailleurs de leur enthousiasme enfantin l'une pour l'autre.

La poupée cicatrisée fit croire à une blague sinistre d'un des employés de la maison. Mademoiselle Jones confia à Adelphine Grosseteste qu'elle croyait que c'était Mary elle-même qui avait, dans un effort surhumain, renversé son parc, puis défiguré sa poupée, imitant maladroitement des gestes qu'elle avait si souvent vu sa gouvernante poser, elle qui avait l'habitude de travailler son pourpoint en veillant sur la petite. Lorsque Mary Jane Clairmont emménagea au *Polygon* avec ses deux enfants, en décembre 1801, Godwin, qui était pourtant un homme éclairé, congédia Louisa Jones et l'ensemble de la maisonnée[2].

De tels incidents peuvent perturber les imaginations fertiles, et les porter à d'outrancières rationalisations. Les romances gothiques et les malheurs de l'enfantement ont pesé lourd sur les femmes de la famille Godwin. Dans la généalogie du malheur, la naissance fatidique de Mary n'est pas négligeable.

Pourrait-on croire que Mary et Claire, si petites encore, aient scellé quelque pacte sanguin dans un recoin obscur de l'enfance, et fait peser sur leurs maternités futures une malédiction indélébile ? En 1814, Mary fuit en France, accompagnée de sa demi-sœur, et donne prématurément naissance à la fille du poète infidèle Percy Bysshe Shelley. La petite fille meurt deux ans plus tard, près de Genève, où le couple adultère était parti rejoindre lord Byron, amant de Claire, qui en porte alors l'enfant illégitime. La femme de Shelley se suicide et Mary et Percy convolent en justes noces à la fin de l'année.

De nombreuses familles bourgeoises engagèrent les services de fossoyeurs de minuit pour faire déterrer leurs morts, et vérifier l'orthographe des inscriptions.

Bien que la maison funéraire fût bientôt forcée de déclarer faillite, on apprit plus tard que ces services interlopes avaient été organisés par Kissenfüller lui-même, sous une identité d'emprunt. Une enquête s'ensuivit, mais les autorités perdirent la trace du truand alors qu'il montait à bord de l'express Zurich Prague, fin 1802.

Dans son testament, mademoiselle Grosseteste demanda qu'on brode dans son cercueil la phrase suivante, en en respectant rigoureusement l'orthographe : « À la mnémoire de tout ce qui n'a pas eu lieu. » (*In mnemory of all that never happened.*) Il faudrait elle aussi l'exhumer pour savoir si sa volonté d'humble roturière a bel et bien été accompli, ou si le fil de sa propre histoire a encore une fois été coupé par des pouvoirs qui la dépassent.

3 That is when I first stepped out from childhood into life.

En 1818, on les retrouve en Italie, où meurent deux autres enfants. Percy Florence, seul survivant de cette mère malheureuse, naît cette année-là.

Mary Shelley n'a que vingt et un ans quand elle écrit *Frankenstein; Or, The Modern Prometheus* (1818), sur les bords du lac Léman. Elle dira avoir, en cet été, « fait ses premiers pas hors de l'enfance et dans la vie[3] ». Son geste enfantin, qui n'est pas sans rappeler les expériences imaginaires du docteur Frankenstein, serait-il la sombre prémonition de ses traumatismes maternels ? Qui sait, vraiment, ce qui troue le temps, ou ce qui le rend entier. Et qui sait à quoi tient l'amour déraisonnable de nos mères ?

T

1 Un cas de *lipographie alliterative.*

2 His listic obsession.

3 The one you have baptized Casper Book has had no name for the longest time. His began with *d*. All of us are dying from not knowing what we are.

Touche lipographe, 1969
Collection de Prague

Ce *D* témoigne d'un cas étrange de lipographie. Il est la dernière consonne d'un clavier de plastique édenté, où seules les voyelles sont encore présentes. Ce clavier est une invention du docteur Aloysius Tattertale pour le traitement des patients dysgraphiques. Le docteur Tattertale fut appelé par l'hôpital Priory de Londres afin d'étudier le cas d'un jeune aliéné d'origine incertaine, dont l'histoire et l'affliction étaient des plus singulières. Le personnel de l'hôpital avait baptisé ce patient Casper Book, en mémoire du célèbre enfant sauvage Kaspar Hauser.

L'orphelin avait été séquestré dans un sous-sol de la ville, en très bas âge, et ce, jusqu'à l'adolescence. Il s'agissait d'une bibliothèque souterraine, où il vivait entouré de plus de 3000 livres qu'il ne pouvait pas lire. Chaque jour, un visiteur mystérieux — la bouche d'un homme à la voix rauque, portant une barbe fournie — apparaissait derrière un des rayonnages, dans un espace vide entre les livres, et lui récitait des extraits de la Bible et des pages entières de l'édition de 1941 du *Oxford English Dictionary*. On ignore l'identité de ce geôlier.

Casper fut découvert à Brighton par une famille de vacanciers un matin d'octobre 1946, alors qu'ils déjeunaient sur la terrasse de leur hôtel. Casper marchait, complètement nu, dans la mer, et bégayait en grelottant les mots en *d* du dictionnaire. Il répondait aux questions qu'on lui posait en enchaînant, avec des accents paniqués, une série de vocables sans lien apparent. La famille, qui préfère garder l'anonymat, signala le cas aux autorités, et le garçon fut bientôt placé en observation à la clinique locale.

Des convulsions agitaient constamment le jeune homme, qui reprenait soudainement sa litanie. L'infirmière qui veillait à son chevet aux premiers jours de sa convalescence s'absenta un moment pour aller aux toilettes et, lorsqu'elle revint, elle découvrit Casper endormi, lové autour de la copie de *The Man Who Was Thursday* de Gilbert Keith Chesterton, comme un enfant apaisé par sa peluche. Elle lui lisait ce livre avant le sommeil et n'en terminerait jamais la lecture.

Le docteur Tattertale fit enregistrer les élucubrations de Book, constatant que les vocables qu'il enchaînait dans ses transes commençaient tous par la même lettre. Casper reprenait rigoureusement, dans le désordre, chacune des entrées des treize volumes de l'édition complète du *Oxford English Dictionary* de 1941. Au cours des mois qui suivirent, Tattertale tenta, à l'aide de son clavier orthophonique, de réorienter le flot verbal du jeune homme, mais rien ne put détourner la narration panique de Casper. Il appuyait sur la touche correspondant à la lettre récitée avec une obstination monomaniaque. Lorsqu'il avait terminé un chapitre du *Dictionary*, il arrachait la touche et la dissimulait sous son oreiller, comme un enfant attend la récompense féerique pour une dent perdue. Il ne répétait plus jamais un mot déjà prononcé. Tattertale qualifia ce cas unique de *Lipographia ad litteram*[1].

Tattertale était convaincu que l'obsession «listique[2]» de Casper dissimulait un message second, qu'il y avait un système plus profond au désordre de la récitation. En fait, la solution était des plus simples : chaque lettre correspondait à un volume de l'encyclopédie et, en enchaînant la séquence des numéros de volume dans l'ordre de la récitation de Casper, on obtenait les adresses des immeubles de Pan Street, près du port. Sous la maison d'un charbonnier, dont on dut percer le plancher, on découvrit la bibliothèque souterraine, fournie en ouvrages pratiques, tomes religieux et romans à bon marché. Une enveloppe, qui contenait une lettre, gisait au milieu du plancher :

Celui que vous avez baptisé Casper Book n'a plus de nom depuis longtemps. Le sien commençait par D. *Nous mourons tous de ne pas savoir dire ce que nous sommes*[3].

Au même moment, à l'hôpital, Casper fut assassiné. Il allait bientôt s'attaquer aux voyelles. Le cas reste ouvert.

Toupie empoisonnée, 1959
Collection de Prague

Cette toupie est dangereuse. Ses mouvements giratoires amplifient les effets d'un puissant hallucinogène concocté à partir de la fleur du muglorian, en usage chez quelques junkies en phase terminale de Tanger au cours des années cinquante.

Les effets de la drogue du muglorian ont ceci de particulier qu'ils s'amorcent, pour emprunter le parler du milieu interlope, sur un *down* pour se conclure sur un *high*. Elle est semblable en cela à un vaccin ou à un antivirus. Selon certains de ses anciens adeptes, son injection permettrait de traverser «l'Étendue de la Grande Maladie[1]».

Le drogué s'étend sur le plancher, communique une impulsion à la toupie, à hauteur d'œil, puis s'injecte une dose. Selon les mots de Willhelm Broch, un expatrié qui en a promu l'usage «les jeunes hommes en ont tant besoin» était son slogan[2] —, c'est «une spirale qui mène hors du monde, un hameçon fixé au fond de la pupille[3]». Suit un relâchement musculaire généralisé, conjugué à une tension nerveuse extrême, où le drogué rejette tous ses fluides par diarrhée, vomissements et éjaculation combinés. Durant le processus, le drogué a la sensation que son corps se constelle de tumeurs d'une consistance gélatineuse, pour devenir peu à peu transparent.

L'identité du sujet semble finalement séparée de lui, transférée à la flaque de sécrétions qui l'entoure, comme si elle constituait une entité à part. Quelque chose se dénoue alors dans la conscience, et le sujet entame un étrange dialogue avec la masse de ses organes internes, commençant à babiller des phrases hachurées, sens dessus dessous, où s'entremêlent les temps de verbe. Le rythme particulier de ces phrases leur assure une certaine cohésion lyrique. Cette dyslexie rythmée s'accompagne d'une sensation de dislocation temporelle, où le langage apparaît comme une sorte de «machine à plier le temps[4]».

Le drogué reconnaît, dans la flaque de ses fluides, les contours d'un autre monde, et le *trip* se conclut aux abords d'une réalité parallèle, où les invariants du temps et de l'espace se sont détournés de leur cours. Les pieds posés à un pas du monde, lesté de son

[1] The Expanse of the Great Sickness.

[2] Young Boys need it special.

[3] It is a spiral that leads out of this world, hooked in the pupil's depths.

[4] A machine for folding time.

[5] The at last exact idea of the soul.

[6] In that spaceless space.

[7] There are subtler bites than those that pierce the flesh. Their invisible poison runs into you, and already you travel out of yourselves and the world. It is never too late to know that you are not from here. One day, thanks to you, humanity will wake from the Great Sickness.

langage, le sujet, habité d'un sentiment indescriptible de plénitude, est témoin de certaines scènes primordiales. Les drogués décrivent des êtres transparents, de grands singes et des travailleurs en salopettes, à l'allure de gnomes, s'affairant sous le poudroiement tournoyant des étoiles.

Ces témoignages rappellent les résultats d'expériences d'isolation sensorielle. À ce carrefour des mondes, les sujets disent toucher à «l'idée enfin exacte de l'âme[5]». Puis un serpent surgit du vide, la gueule béante, la langue en spirale, et ils se laissent de nouveau happer hors de cet «espace sans espace[6]».

Willhelm Broch, gourou de la toupie, avait fait inscrire, sur les emballages du jouet : «Il est des morsures plus subtiles que celles qui ponctuent la chair. Elles enfoncent leur poinçon invisible en nous, et déjà nous passons hors de nous-mêmes et du monde. Il n'est jamais trop tard pour savoir que nous ne sommes pas d'ici. Un jour, grâce à vous, l'humanité s'éveillera de la Grande Maladie[7].»

Ustensile chantant
Extraits de patience

U

Le sourcier français Pierre Didon doit sa carrière à cet ustensile. Il fut planté dans son genou gauche alors qu'il n'avait que douze ans, par son frère gaucher, Yoland, un soir qu'il réclamait sa soupe à grands gestes. Il planta si fort la fourchette à quatre dents qu'elle s'enfonça définitivement dans l'os du genou de Pierre. Les médecins refusèrent de la déloger, soutenant que la retirer aurait pour conséquence de disloquer le genou.

Aux dires du sourcier, le coup fut sans douleur. Bien que Didon fût rendu boiteux par ce geste, il sut en tirer grand avantage. La fourchette vibrait au rythme des sources souterraines, émettant une fréquence aiguë, qu'il apprit à décoder.

Il n'eut jamais besoin de recourir à une baguette pour s'orienter vers les sources, et il en dépista plus de 10 582 à partir de ce jour, ceci faisant de lui le sourcier le plus prolifique d'Europe. Par les campagnes, on le connaissait comme l'« Orphée des sources ».

Didon perdit l'usage de sa jambe gauche vers l'âge de cinquante ans, mais il continua de refuser le retrait de la fourchette. Il apprit la notation musicale, et endisqua un album intitulé *Chants de fourchette*, entièrement composé à partir d'échantillonnages amplifiés de l'ustensile. Ce changement de vocation se révéla peu avisé.

Selon les dernières volontés de Didon, à sa mort, son frère Yoland (qui avait fait fortune comme fabricant de vaisselle) retira la fourchette de son genou. On entendit une note unique, comme d'une flûte expirante.

Vertov de Vladivostok, 1975
Collection de Prague

V

Cette caméra 16 mm de marque Bolex, fabriquée en 1975 — dernière année de production de ces légendaires appareils —, fut l'outil de travail privilégié d'un documentariste russe, Stanislav Dikozorov, qui avait fait de cette phrase sa devise : « Tant que dure le ciel, dure son image'.» Dikozorov voulait être aux ruines du programme spatial soviétique ce que Vertov fut pour Saint-Pétersbourg : le chroniqueur de ses élans intimes, transfigurés par l'espace-temps du cinéma.

Dikozorov, qui était originaire de Vladivostok, avait immigré à Baïkonour, centre névralgique du

1 Пока длится небо, длится его образ.

2 „Лунный батискаф"

programme spatial soviétique, pour se rapprocher du ciel. L'œil rivé à sa caméra, il suivait l'arc lumineux, le plumet enfumé de chaque décollage. Le jour, il cataloguait les nuages et suivait les chiens errants par les rues de Baïkonour, dans un casting perpétuel pour la prochaine Laïka. Soir après soir, il s'installait dans un champ aux abords de la ville, près des rampes de lancement du cosmodrome, pour filmer le ciel étoilé et traquer la course des satellites, minuscules points lumineux quasi imperceptibles sur la pellicule. Ses films étaient des enchaînements presque abstraits de carlingues et de pelages, de fumées et de nuages, de lumières lactées et d'obscurités chatoyantes. Le Politburo tolérait ces collages exaltés en l'honneur des envols russes.

Un jour du printemps 1972, le destin de Dikozorov bascula lorsqu'il répondit à une offre d'emploi, griffonnée au crayon de plomb sur un bout de papier fixé à un poteau téléphonique. Une équipe de tournage était à la recherche d'un deuxième caméraman. Cette annonce avait en fait été rédigée par le KGB, qui avait recours à cette stratégie d'affichage afin de repêcher ses candidats parmi les camarades les plus démunis, et les plus anonymes, de la collectivité.

À l'été 1972, Dikozorov participa à la réalisation d'un faux documentaire sur un alunissage russe. On construisit, dans l'un des hangars de la Cité des étoiles, une réplique du ciel étoilé, selon une technique empruntée au film *Universe* (1960) des Canadiens Roman Kroitor et Colin Low, une des sources d'inspiration de *2001: A Space Odyssey* de Stanley Kubrick. La nuit, dans les plaines aux abords de la ville, des cosmonautes marchaient au ralenti dans les ravins et les cratères.

La mort insolite de Dikozorov advint au troisième jour du tournage. Le matin suivant, sa dépouille gisait au milieu du décor. Il avait emprunté la combinaison d'un des cosmonautes, et reposait, asphyxié, son casque posé à ses côtés, au pied du drapeau russe planté au milieu du cratère, face au ciel, avec un sourire béat. Au moment de sa mort, il travaillait à un film ultime, intitulé *Le bathyscaphe des lunes*[2], dont la pellicule fut confisquée par le Politburo. Le faux documentaire est lui aussi introuvable, évanoui comme la fumée des décollages dans l'indifférence céleste du temps.

Daniel Canty

WIGRUM ET STEPNIAC

Postface

*Que savons-nous vraiment du temps, sinon qu'il
s'écoule à travers nous ? L'Histoire est alvéolée d'ab-
sences. Là où convergent ses vecteurs asynchrones,
les objets de ma collection apparaissent, sans qu'on
sache pourquoi ni comment, aussi évidents que la perle
en son huître.*

—Sebastian WIGRUM
  Du souvenir comme objet d'art, 1939

Wigrum et Stepniac avaient été opposés, en Angleterre
à la fin du 19ᵉ siècle, dans une dispute de propriété
intellectuelle. J'ai pour la première fois entendu leurs
noms lors d'un exposé oral sur le droit et l'édition
présenté par une collègue d'études de l'Université
Simon Fraser, à Vancouver. Je ne me souviens plus
comment s'est réglé le litige, ou à quoi il tenait, mais
la formule des tribunaux, « Wigrum contre Stepniac »,
m'est restée. Je l'ai griffonnée dans mon cahier, l'esprit
absent, interpellé par sa seule sonorité.

Il est vrai qu'un simple son peut nous éveiller à un
univers de sens. « Wigrum contre Stepniac » fournit
une formule fort à propos pour toute discussion
portant sur l'énigmatique relation du collectionneur et de son principal commentateur. Wigrum et
Stepniac sont semblables aux amis encyclopédistes et
passionnés de Flaubert, Bouvard et Pécuchet, ou au
chevalier à la triste figure et à son écuyer, et il suffit
de mentionner l'un ou l'autre pour susciter l'image
de son compagnon. Cela dit, si ceux qui constituent
de tels couples peuvent apparaître comme les aspects
complémentaires d'un seul être, il faut encore se
demander quel homme celui-ci serait, s'il existait.
Puisque cet homme n'existe jamais *seul,* il n'existe
pas. Par quelque détour que l'on passe, Wigrum
ramène à Stepniac, et celui-là à l'autre. La créature

qui serait Wigrum *et* Stepniac n'est pas moins chimérique que ces hermaphrodites sphériques qui peuplent les spéculations archétypales de Platon.

L'information à notre disposition permet seulement d'affirmer avec certitude que Wigrum et Stepniac sont liés. Mais que l'un des deux soit davantage « réel » que l'autre, ou qu'ils désignent une troisième personne, qui ne soit ni l'un ni l'autre, ou les deux à la fois, rien ne permet de vraiment l'établir. Le soupçon qui nous conduit à séparer Wigrum de Stepniac continue de les rapprocher. Empruntons aux objets, riches de métaphores, et si chers à ces esthètes, l'image de deux aimants, taillés dans une seule pierre, qui ne se ressouderont plus parce qu'ils partagent la même charge. De telles images peuvent nous guider là où la pensée achoppe.

Nous savons autre chose avec certitude. Assurément, Wigrum et Stepniac ne sont pas ces deux opposants du 19e siècle qui portent les mêmes noms qu'eux. Pourtant, ces couples distants se ressemblent. Leur réciprocité embrouillée est semblable à celle d'une métaphore et de son objet. Rappelons-nous que Wigrum ne pouvait avoir plus d'un an à l'époque du procès. Noms d'emprunt ou boucle bouclée des correspondances ? Stepniac saurait, mais on ne sait rien de plus de lui. S'il y a bien une leçon à tirer des collections de Wigrum, c'est que, devant l'opacité de la matière, il vaut mieux se contenter des faits.

*

Enrichis par cette leçon, revenons donc à l'anecdote. Les objets sont en effet porteurs d'étranges attractions. Je retrouverais Wigrum et Stepniac, ces noms deux fois appariés par l'histoire, par la conjonction fortuite du terminal Web et de l'encyclopédie qu'on mit à ma disposition pour mon travail de « nouveau médiateur » — avant même la fin de mes études, j'ai été engagé comme scénariste et auteur par le studio nord-américain d'un éditeur électronique japonais, DNA (Datt North America). Je devins momentanément Daniel-san. Steven Forth, président et fondateur de DNA, avait visité notre classe pour présenter son travail. Je soupçonne que ce *language poet,* revenu du Japon pour se métamorphoser en entrepreneur, m'a engagé parce que je connaissais la plupart des références dont il émaillait sa présentation, s'interrompant constamment pour demander à l'auditoire s'il savait bien de quoi, ou plus souvent de qui, il parlait. Nombreux sont ceux qui voient dans un tel comportement, qualifié là-bas de *name-dropping,* une certaine fatuité. Ce n'était qu'un des aspects de sa relation enthousiaste et trouble au langage et à ses pouvoirs. Steven-san considérait la traduction — gagne-pain principal de sa compagnie, où des immigrants adaptaient des logiciels et des contenus multimédias aux marchés asiatiques — comme un des arts majeurs. Il avait dirigé, au Japon, une petite maison d'édition de poésie, et avait lui-même écrit des vers, qu'il ne me donna pas à lire. Je crois qu'il tirait profit, dans son écriture, de sa tendance à intervertir les mots et les lettres. (Ces spéculations tiennent à ce qu'un jour, il me suggéra, avec son enthousiasme habituel, quelques variations sur des vers que j'avais écrits pour un de nos projets documentaires.) Aussi Steven était-il constamment porté à inventer des acronymes, comme si cette condensation du langage augmentait la densité des conversations. Qui sait en quels mots les lettres de ces acronymes se seraient véritablement déployées? La plupart des interlocuteurs finissaient par se demander de quoi il parlait, sans oser perturber son élan verbal.

Les aventuriers capitalistes des « technologies de l'information » condamnaient son manque d'esprit d'affaires, prétendant qu'un intellectuel de sa sorte

1 The widening of our temporal bandwidth.

était trop idéaliste pour survivre à la course de l'autoroute électronique, *autobahn* sans limite de vitesse qu'on disait conduire tout droit au *Fortune 500*. La plupart de ces gens-là ont trop cru en la presse qu'ils n'ont pas eue. Pourtant, DNA eut un grand succès commercial avec son premier titre, un documentaire sur cd-rom intitulé *La route de la soie*. Réalisé par Marek Gronowski, il portait sur ce grand corridor culturel et mercantile. DNA en vendit des dizaines de milliers de copies. Le succès de ce titre motivait tous les espoirs. De nombreux succès d'estime et des prix internationaux suivirent, jusqu'à la fermeture en 1999 de la compagnie, victime des pressions d'un marché qui, en fait, n'existait pas, de l'avènement du Web et de la confusion des subventionnaires d'État. Il est vrai que Steven collectionnait, avec son épouse, exquise designer de textiles japonaise transformée en CFO (*Chief Financial Officer*), les écarts de gestion. Il fallait néanmoins reconnaître la vitalité de sa vision. Il imaginait un monde où il était permis de parler de n'importe quoi et de n'importe qui en même temps, et il voyait dans l'édition électronique la promesse d'une culture qui déborderait largement des catégories qu'on lui impose pour en tirer profit. Bref, c'était un de ces humanistes rêveurs pour lesquels notre société n'a plus beaucoup de patience. Le jour de sa visite dans notre classe, je sus de quoi il parlait quand il mentionna Thomas Pynchon au passage, et « l'extension de notre fréquence temporelle'», et je crois que cela me valut sa sympathie, et l'entrevue qui mena à mon emploi.

La note d'adieu de Sebastian Wigrum — qui est peut-être aussi l'acte de naissance de Stepniac — rappelle Thomas Pynchon, ce grand anonyme américain évoqué par Steven, et fait aussi écho aux premières paroles de la première héroïne de cet autre insigne anonyme, Réjean Ducharme. Comme on le sait, ces deux-là n'écrirent pas avant les années soixante. Ose-rait-on vérifier notre théorie de l'histoire, et dire que Wigrum, disparu avant eux, les plagiait par anticipation? Ou doit-on croire qu'il fut, en quelque sorte, inventé par leurs œuvres? En ces années quarante où Wigrum commençait de cesser d'exister, Jorge Luis Borges et Orson Welles nous habituaient aux frissons subtils de la supercherie. Quand le 20ᵉ siècle en eut assez des mensonges de l'histoire, on se mit à respecter les vérités de la fiction jusqu'à les vénérer. Borges et Welles ont aujourd'hui rejoint le panthéon des auteurs mythiques. Si elle n'était pas encombrée de ses parenthèses, peut-être adopterions-nous la formule de cet autre auteur mythique, Georges Perec, qui sous-titre *La vie mode d'emploi* « roman(s) », pour l'appliquer à l'histoire(s). Retenons la leçon de Steven, *name-dropper*, permutateur de lettres et condensateur de langage, et reconnaissons ce que les mots, quand nous les laissons n'être qu'eux-mêmes, n'arrivent pas à dire.

*

Il est indiscutable que l'art engendre certaines vérités. J'ai découvert l'existence de la collection de Wigrum en travaillant chez DNA. Avec Gregory Ronczewski, directeur artistique, ex-peintre et architecte d'intérieur polonais — parcours typique des équipiers du studio —, je devais créer un site qui reflétait la créativité de la compagnie, et le potentiel de notre médium d'adoption. Gregory, issu d'une vaste famille d'artistes, et de la Pologne communiste, m'a un jour dit : « L'art est comme la plomberie. Tu agences des formes et cela fonctionne ou non. » Je lui ai donc demandé de photographier, plus ou moins au hasard, des objets de sa maison, où son épouse, Magdalena, continuait de peindre, pour voir si cela fonctionnerait. Il a ramené au studio une trentaine de photographies d'objets sur fond blanc. J'ai résolu d'en faire le récit.

Je n'écrivais pas sans recherche. Fraîchement issu de deux maîtrises, l'une en littérature, l'autre en édition, je tentais de mêler ce que j'avais appris à ce que je *devais* écrire, par loyauté envers une certaine idée de l'art, et envers une certaine éthique du travail. Au studio, mon fauteuil à roulettes me permettait, d'un élan preste, de voler depuis mon bureau, où je travaillais sur un ordinateur constamment connecté au Web — chose nouvelle à l'époque —, jusqu'à la bibliothèque murale qui soutenait les épais volumes de l'*Encyclopædia Britannica*. J'existais dans la parenthèse entre un ordre ancien, lourd de ses milliers de pages, et un ordre nouveau, où la connaissance se voulait légère comme une onde. Chaque élan entre l'écran et les livres dessinait la trajectoire d'un bref voyage dans le temps. Je cherchais une écriture qui réinventerait le passé et reconnaîtrait que l'avenir n'en finit pas de réapparaître en lui.

La formule est moins mystérieuse qu'elle peut le sembler. C'est à travers le Web que j'échappai aux données de l'*Encyclopædia*. Écumant les sites à la recherche d'inspiration pour parler d'un sachet de thé, de champignons ou d'un caillou, je découvris qu'on m'avait précédé dans ma recherche. La séquence des pages que j'avais visitées, enregistrée dans la mémoire de mon fureteur, avait été sondée par un automate de recherche. Je reçus un courriel d'un certain josephstepniac@wigrum.com. Un de ces *bots* qu'on appelle aussi « araignée » m'avait intercepté alors que je reconstituais le patron de sa toile. Peut-être m'accusera-t-on d'être romanesque, mais je suis convaincu que Stepniac n'existait plus à l'autre bout du fil, et que cette entité de fabrication qui portait son nom en préservait seule la mémoire. Il avait été réincarné en un automate à l'idée fixe, qui détaillait dans un courriel généré automatiquement l'historique de mes consultations. Apparemment, j'avais redécouvert les objets de la dernière collection d'un certain monsieur Sebastian Wigrum, que le Joseph Stepniac qui n'était plus que josephstepniac avait passé sa vie à étudier. Aujourd'hui, j'aurais appuyé sur-le-champ sur le bouton de panique, *spam,* qui apparaîtrait bientôt sur les fureteurs, mais, en ces jours d'innocence électronique, il n'existait pas encore. Le message me priait de faire revivre la mémoire de l'œuvre de ces deux messieurs en cliquant sur l'hyperlien au pied de la page. J'avais reçu le courriel à mon adresse de travail. L'administrateur de réseau avait installé de nombreux filtres sur chaque terminal, et supervisait nos activités avec la rigueur et les ruses d'un agent double. Je me dis qu'en cas de désastre il saurait en tout cas me sauver de ma naïveté. Je découvris donc, au bout de ce lien, une page texte, sans apparat, composée en Courier, contenant l'intégralité de la présentation de Joseph Stepniac et des textes de Sebastian Wigrum. Cette page, avec sa typographie de machine à écrire, me semblait suspendue entre deux époques, dans les limbes entre l'Underwood et le Macintosh. Les textes étaient suivis d'une permission légale permettant à quiconque les découvrirait de les reproduire sans craindre un litige. J'effectuai un copier coller du texte entier, pour pouvoir le consulter à mon aise, ajoutai l'hyperlien à mes favoris et adressai un courriel à josephstepniac, lui enjoignant de communiquer avec moi. Il rebondit. Toutes mes tentatives de communication suivantes se soldèrent par des échecs. Quand je voulus retourner à la page, elle était inactive. Je ne reçus pas d'autre courriel de josephstepniac.

Je décidai, avec Gregory, de publier sur le site de DNA, les descriptions des objets tirés de la collection de Wigrum et la présentation de Stepniac. Les photos accompagnaient les textes dans une mise en page soignée, et je dissimulai, derrière chaque artefact, des hyperliens vers les sites sources qui m'avaient valu la communication de josephstepniac. Nous avons même incorporé des photos de Wigrum inventées pour l'occasion. Notre travail de mise en forme nous valut un prix de graphisme et les interrogations sidérées des visiteurs, qui demandaient toujours quelle était notre part d'invention dans ce projet. En vérité, je ne le sais pas moi-même, mais j'étais déterminé à préserver la mémoire de ces deux hommes obsédés par l'ordinaire. Quand la compagnie ferma ses portes en 1999, je voulus emporter avec moi la collection. J'obtins la permission de Steven Forth, qui avait après tout financé la première entreprise de sauvetage. Je publiai une autre version du site dans l'espace Web de la Canadian Broadcasting Corporation, 120seconds.com. Aujourd'hui, les sites voués à la collection sont inactifs et je dois remercier mes éditeurs de me permettre de faire revivre Wigrum et Stepniac en présentant ici les objets qui les passionnaient.

Lors de la publication des sites, un pépin technique survint, qui nourrit encore la légende. Ils incorporaient un *livre de visite,* où on pouvait laisser des commentaires. Son fonctionnement s'enraya peu après la réception du courriel suivant, adressé par un ami qui gère le parc d'ordinateurs du laboratoire d'édition de l'Université Simon Fraser :

Je suis particulièrement intrigué par la collection de Sebastian Wigrum, qui présente une étonnante parenté avec le contenu du deuxième tiroir de mon bureau à la maison. Ce meuble, qui appartenait jadis à mon père, m'a été légué à l'issue d'une cryptique cérémonie copte qui marqua mon passage à l'âge adulte. Selon les rumeurs qui courent dans notre famille, le bureau contient trois compartiments secrets. Depuis des années, je m'applique en vain à les rechercher.

Un soir que j'écrivais seul à la maison, j'ai cru, en renversant un pichet d'eau, avoir trouvé une cavité cachée. Je fus étonné de voir le liquide rapidement avalé par une mince fêlure dans le bois. Mes efforts pour la sonder ne menèrent à rien, et les secrets du bureau demeurent entiers.

Le deuxième tiroir de ce bureau, par contre, a acquis sa propre réputation, indépendante de celle du meuble. Dans notre jeunesse, mon frère l'appelait mon « tiroir à déchets », et était constamment attiré vers lui malgré mes efforts pour le décourager. Son contenu comprend plusieurs fragments de pierre entaillée, ornés de glyphes obscurs, peut-être des coordonnées géographiques (dans ce cas, elles indiqueraient une région désertique des monts Atlas du Maroc oriental) ; une étiquette de métal oxydé où sont estampées les initiales s. w. ; une enveloppe adressée à « Mme l'Aperçu, 18 bis, rue Flammarde, Saint-Césaire-de-Gauzignan », avec une adresse de l'expéditeur à « Wien, Österreich » (le timbre semble être un rare « Bismarck inversé » de trois pfennigs ; la lettre, cependant, est d'une autre main que l'adresse et rédigée dans une langue qui n'est ni l'allemand ni le français…).

Je me demande donc si Sebastian Wigrum pourrait être cet « oncle noir » dont mon père refusait obstinément de parler.

Michael Hayward
Vancouver, Canada, 1997

*

Wigrum et Stepniac sont des personnages fuyants, voyageurs des miroirs et des points de fuite, capables de disparaître, comme la lettre volée d'Edgar

Allan Poe, en pleine vue ou au fond d'un tiroir qu'on referme. Je me plais à croire que les dessins d'Estela López Solís qui remplacent aujourd'hui les photographies de Gregory Ronczewski sont l'exacte réplique des objets eux-mêmes, et je voudrais que ce miroir derrière lequel on découvrit la collection porte une variante de l'inscription qui accueille Dante en Enfer : «Vous qui entrez en cette fiction, abandonnez tout espoir d'en revenir.» Si vous vous rendez un jour au grenier de Regent's Lane, vous me direz si j'ai eu raison d'imaginer cette phrase.

—Daniel CANTY
Montréal, 2008

Daniel Canty

LES EXTRAITS DE PATIENCE

Apostille

Au moment d'écrire le texte qui précède, je ne savais pas encore que l'improbable récit de ma relation avec Wigrum et Stepniac, et avec tous ceux qu'ils ont pu être, n'avait pas pris fin, et que la lettre de Michael Hayward trouverait un écho dans ma propre histoire. C'est la première fois que je consigne, sous forme écrite, les épisodes de cette étrange aventure épistolaire, dans laquelle je joue un rôle principal et contradictoire : celui du témoin absent.

Je reçus, le 9 septembre 1999, une lettre adressée au domicile que j'occupais depuis 1997 sur la West 14th Avenue, à Vancouver. J'allais le jour même quitter cet appartement et Vancouver, pour un périple européen. En quatre mois, je visiterais tour à tour, par voie ferroviaire, la France, l'Espagne, la Suisse, l'Italie, Prague et Londres, contrées et cités qu'écumait Wigrum en quête d'ajouts à son inachevable collection. Le pli, que je glissai dans la poche supérieure de mon sac à dos, où il souffrirait toutes les variations du climat, n'était adressé, pour ainsi dire, à personne. Il n'arborait aucun des encrages usuels, aucune des excuses et des explications protocolaires des postiers pour les délais déraisonnables. Les aléas du système postal sont souvent insondables. J'en suis aujourd'hui à me demander si je n'aurais pas pu croiser quelque mystérieux messager glissant cette missive égarée dans le temps sous ma porte. La présence de tant de récits à « contenu canadien » parmi la collection me porte d'ailleurs à penser qu'en ce jour ultime, alerté par l'amplification de quelque bruit contre les murs de mon appartement vide, mon visage inquiet appuyé contre ma porte d'entrée, j'aurais pu voir apparaître Wigrum lui-même, en anamorphose, déguisé en *Mountie* ou en coureur des bois, dans le judas de ma porte.

Bien qu'aucune adresse de l'expéditeur n'y figure, la lettre semblait provenir de Grande-Bretagne. Le timbre, d'une valeur de 63 pennies, faisait partie d'une série de quatre, *The Inventor's Tale,* commémorant des inventions britanniques des 19ᵉ et 20ᵉ siècles qui, admettons-le, ont altéré les fondements de notre réalité commune : l'horloge de Greenwich et l'engin à vapeur de James Watt, qui ont permis aux premiers trains d'arriver à l'heure, les expériences photographiques d'Henry Fox Talbot, qui ont commencé à chambouler l'ordre tranquille des apparences, et les recherches d'Alan Turing sur la computation, qui ont donné lieu aux machines de notre travail quotidien, et cristallisé une nouvelle image de notre conscience.

C'est ce timbre dédicacé à Turing qui avait été apposé sur l'enveloppe. Un dessin de sir Eduardo Paolozzi y représente, sur fond jaune, un « ordinateur à l'intérieur d'une tête humaine » (*Computer Inside Human Head*), où s'entremêlent, dans une manière qui évoque vaguement le portraitiste légumier Arcimboldo, des composantes organiques et machiniques vivement colorées. Le profil de la reine apparaît légèrement au-dessus du front de la tête-machine, comme celui d'un esprit bienveillant ; c'est son empire guerrier, après tout, qui a financé les travaux du logicien. Les cheveux de la reine sont noués par un coquet ruban, et le vert de sa silhouette évoque l'émail des vieilles statues, ces lointaines cousines des machines d'imitation. Elle veille de haut, d'un regard absent, opaque, sur la tête-machine. Sa présence évoque ces anciennes magies, que les grammairiens disent *performatives,* par lesquelles les souverains imposent, de leurs simples paroles, un ordre nouveau aux choses.

En ce soir ultime de ma vie vancouvéroise, je dormais dans un appartement vidé de toutes mes possessions, captives d'un conteneur qui ferait bientôt route, d'un océan à l'autre, tout au long de la Transcanadienne, dans le dix-huit roues d'un sous-traitant hindou, vers Montréal et la maison familiale. La scène était prête, la chambre close, pour que Wigrum et moi endossions les rôles du *jeu d'imitation* jadis imaginé par Turing pour nous rapprocher de nos machines. J'aurais joué le rôle du témoin aveugle de la conscience, alors que l'autre aurait pu endosser les rôles que le jeu m'appelait à départager : celui de l'homme, et celui de son image.

Je n'entendis rien. Au-dessus de ma tête, sous les combles, vivait ma voisine, charmante actrice bouclée, d'origine néo-écossaise, qui répondait au nom très francophone de Jacqueline. Elle allait bientôt jouer une version de *La voix humaine* de Jean Cocteau, et avait un jour glissé le carton d'invitation dans ma boîte postale du hall. Je tiens aussi à noter qu'elle affectionnait, bien avant qu'on les revoie aux pieds des citadines dans le vent, le port des *gumboots,* avec leur discrète semelle caoutchoutée. Animée par quelque élan théâtral, elle décida, la nuit précédant mon départ, vers les trois heures, de réarranger à grand bruit son mobilier. Lors de notre première rencontre sur le palier, elle avait vanté la douceur des musiques qui émanaient de mon appartement, et était donc fort au courant des propriétés acoustiques de mon plafond. Je ne peux donc m'empêcher de croire, bien qu'il s'agisse peut-être d'une vanité de ma part, qu'elle dessinait, dans la calligraphie lourde de ce *feng shui* de minuit, des signes au plancher de son appartement, cherchant à m'adresser un poignant au revoir. Je crus d'abord à une scène de ménage avec un amant invisible. Le bruit se résorba avant que je ne me résolve à monter pour m'enquérir de la raison du tintamarre, et peut-être prendre le thé.

Un adhésif apposé sur l'enveloppe que je trouvai, le matin suivant, au seuil de mon appartement, portait le mot PRIORITAIRE, en petites capitales blanches sur fond turquoise. Il pourrait, si j'en crois mes recherches, appartenir à l'aéropostale tchèque, qui affectionnait cette fantaisie *à la française,* et avoir été rapporté par Wigrum (ou quiconque a voulu me faire parvenir cette missive) d'un voyage dans l'ancien bloc de l'Est. L'enveloppe, ornée d'obliques rouges et bleues, était le modèle standard de la Royal Mail. Elle portait le sceau POST OFFICE – CAMDEN TOWN – 1 SEPTEMBER 1999 – LONDON, et avait donc été oblitérée la semaine précédant mon départ pour l'Europe.

La lettre dactylographiée sur papier aéropostal, en date du 30 avril 1972, jour de ma naissance, et en provenance du « monde », était simplement signée Sebastian, et adressée à Joseph Stepniac, à Prague, au n° 9, Na Poříčí, la porte à côté du *Arbeiter-Unfall-Versicherungs-Anstalt für das Königreichs Böhmen* où travaillait jadis Franz Kafka. Je me souviens d'avoir noté, lors de mon passage dans la capitale tchèque en 1999, comment les façades voisines de ce bâtiment historique se fondaient les unes aux autres, dans un anonymat au visage pierreux. J'appris plus tard que l'une d'entre elles, qui ne paie pas plus de mine que le bureau des employeurs de Kafka, cachait jadis un sous-sol rempli de la terrible machinerie par laquelle on procédait, sous le régime communiste, au pilonnage des ouvrages inscrits à l'Index du parti.

Le monde, 30 avril 1972

Monsieur Joseph Stepniac, Esq.
Na Poříčí N° 9, Praha

Très cher Joseph,

Les noms des choses nous apprennent sur elles des choses que les choses ignorent d'elles-mêmes. T'es-tu jamais arrêté à penser, Joseph, qu'il est étrange que ce soit toi qui portes le nom du père ? Je ne peux qu'espérer que tu sauras accepter que je t'écrive, aujourd'hui, comme un père le ferait à son fils.

Je tiens d'abord à te remercier, tu ne le sais que trop, de l'attention avec laquelle tu te dévoues à mon travail. Je te vois, soucieux et appliqué, dans cette cave tapissée de livres que tu m'as racontée, suspendu, au milieu de l'univers, dans l'îlot de lumière d'une lampe chevrotante. Je sais combien tu aimais ces romans de science-fiction à dix sous, et je t'imagine entouré de tonnes et de tonnes de livres aimés, entassés contre les murs comme le crin de cheval et la pulpe compactés en leur cœur, te communiquant, dans le froid de ta ville pierreuse, cette chaleur cosmique qui préside à la naissance des soleils et des mondes ; certains livres jaunissent avec tant de grâce.

Tu sais, Joseph, c'est ce jaune qui est la véritable couleur du papier, et non pas le blanc qu'on leur souhaite, imposé par le goût du jour et la science des papetiers, à qui les commerçants demandent de javelliser, d'égaliser, d'effacer toutes les différences, comme si c'était jaunisse que d'afficher ses vraies couleurs. Les objets n'ont que faire des vérités qu'on leur impose : le papier porte sa propre fiction en ses pores, et elle est blanche ; qu'on laisse vivre les livres et on entreverra leur vérité seconde, leur véritable couleur, qui est celle des faits.

La fiction vieillit avec nous, Joseph. C'est la pulpe et la pâte de mon propos. Souviens-toi : nos parents ont eu beau essayer, ils n'ont pu nous empêcher de lire ces livres par lesquels nous nous éloignions d'eux, et de nous-mêmes, posant les yeux à l'horizon, et le pied à l'écart du monde. Les véritables lecteurs, ceux qui consacrent toute une vie à cette vocation, Joseph, sont comme ces enfants du conte égarés le long de leur sentier de mie ; ils sont comme l'astronaute flottant au milieu du poudroiement des étoiles. To each man his own, and to each book too.

181

Je n'ai plus ma force d'antan, Joseph. Mais je suis fier de pouvoir m'appuyer sur cet homme que tu es devenu, et qui m'apprend à son tour qui je suis. Je l'avoue, c'est enfin par toi que mon œuvre existe. Et si ce n'est qu'en fiction qu'un fils peut donner naissance à son père, sache que je n'ai jamais eu peur d'affirmer que ce qui existe en fiction existe en fait.

C'est toi qui m'as, en fait, inventé, Joseph, et qui continueras à le faire. Les rumeurs de ma disparition seront toujours exagérées. Un autre viendra, qui ne sera pas toi, et qui nous connaîtra tous deux. Les lecteurs forment une vaste société secrète, en laquelle il suffit de croire, simplement parce qu'elle existe.

Tu m'en veux peut-être de ne t'avoir donné, depuis si longtemps, aucun signe. Ma collection, tu le sais, est toute ma vie, et j'ose parfois le croire, toute la tienne, ou au moins sa moitié. Je ne peux qu'espérer que tu ne me tiendras pas rigueur de mes longs silences, car, si je t'écris aujourd'hui, c'est pour te livrer mon héritage.

J'ai continué à vivre. Et vivre, tu le sais, veut dire pour moi collectionner. Quand tu ne m'entends plus, n'aie pas peur, tant que tu continueras à me lire, je serai avec toi, qui es en moi. Mon héritage est le tien, Joseph. Nous nous ressemblons trop pour renoncer à exister ensemble.

Tu recevras, sous pli séparé, tout ce qui me reste à vivre. Prends-en soin. Toi aussi, Joseph, vis bien. Aime trop les contes pour y renoncer.

Ton très cher,
Sebastian

Avais-je été élu pour faire partie de ce « vaste réseau de fournisseurs » évoqué par Stepniac dans sa présentation de la *Collection du miroir* ? Cette missive, à la fois si personnelle et si vague, parvenait-elle à d'autres *agents* que moi? Les réponses à ces questions s'égarent à la frontière des faits.

Les accidents du quotidien signeraient la suite de l'histoire. À la fin de l'été 2010, à Montréal, la chevelure luxuriante de ma voisine du palier supérieur, accumulée dans la plomberie vétuste de mon bâtiment, allait faire éclater un tuyau rouillé, et déclencher le dégât d'eau qui emporterait la plus grande part du contenu de deux de mes bibliothèques, dont l'original de la lettre à Stepniac, que j'avais glissé, par souci symbolique, dans une copie de la première édition de *La vie mode d'emploi* de Georges Perec. J'avais heureusement eu soin de copier la lettre, un dimanche creux, à l'aide de la machine à écrire Remington portative que j'avais un jour achetée par fantaisie, dans la dernière boutique d'écriture mécanique de Vancouver, que je croisais chaque matin en me rendant au studio où je gagnais ma vie.

Je me suis imaginé que cet appareil pourrait devenir, par quelque tour de passe-passe électronique dont certaines de mes connaissances avaient le secret, le clavier d'un ordinateur rétrofuturiste. Équipé de cette machine à remonter dans le temps personnelle, je croyais pouvoir rejoindre, entre le clavier archaïque et l'écran réseauté, cette *réalité virtuelle*, à demi effacée, depuis laquelle Wigrum et Stepniac semblaient vouloir s'adresser à moi.

и

Cette missive serait suivie, quelques mois plus tard, d'un deuxième envoi. J'avais pris l'habitude, lors de mes voyages en Europe, de poster les livres ou les documents qui appesantissaient mes bagages en les glissant dans ces enveloppes à soufflets de solide papier toilé dont la papeterie française a le secret, et pour lesquelles j'ai un faible assumé. Une de ces enveloppes m'attendait, au début de l'hiver 2000, au pas de ma porte, à ma nouvelle adresse, sur la 48e Rue, dans Hell's Kitchen, à Manhattan, où je participais à un atelier de réalisation cinématographique. Les timbres à l'effigie rouge de Marianne et l'étiquette de l'aéropostale confirmaient l'origine de l'envoi.

Le paquet portait comme adresse d'expédition celle de cette madame l'Aperçu mentionnée par Michael Hayward : 18 bis, rue Flammarde, Saint-Césaire-de-Gauzignan. Si cette commune du département du Gard, dans la région du Languedoc-Roussillon, existe bel et bien, la rue Flammarde, elle, échappe à l'attention des satellites de géolocalisation. Elle n'apparaît sur aucune carte d'un monde qu'on se plaît à déclarer épuisé par son image numérique. Michael, peut-être par peur de froisser mon enthousiasme pour la fable wigrumienne, n'a jamais voulu m'avouer si l'histoire de cette lettre n'était qu'une fabrication. Je ne suis pas homme à bouder les plaisirs de la fiction, et à insister sur de telles questions.

Le paquet n'était, encore une fois, adressé à personne. Au revers de l'enveloppe, l'envoyeur avait inscrit une belle formule, EXTRAITS DE PATIENCE, au feutre rouge, en capitales grossières. Mon colocataire, qui me sous-louait une chambre dans son appartement, jugea, à ces mots français, que le paquet ne pouvait que m'être destiné.

J'y trouvai deux manuscrits. Le premier contenait, sur d'anciennes fiches bibliographiques, ordonnées alphabétiquement, et collées, par des coins photos, sur le papier à lettres de divers hôtels européens et nord-américains, les descriptions de dizaines d'objets. Ce pourraient être ceux de cet héritage évoqué dans la lettre à Stepniac. Les descriptions étaient écrites en français, dans une microscopique écriture faisant usage d'abréviations et de raccourcis proches de ceux de la sténographie. Cette calligraphie cryptée et vagabonde est peut-être de la main de

Wigrum, qui prétendait maîtriser des langues aussi nombreuses que les pays qu'il visitait. Au revers des fiches, les références originales avaient été biffées au marqueur noir, et remplacées par ce qui semblait être les entrées d'un index.

Les pages d'un tapuscrit, où figurait en entête la mention COLLECTION DE PRAGUE, sont intercalées dans ces *Extraits de patience,* en ordre alphabétique. Les entrées, qui portaient chacune une date, et suggéraient une lecture chronologique, semblent avoir été réalisées à l'aide d'un traitement de texte, imprimées sur le bicolore papier à bretelles dans les caractères pâles et pointillistes des débuts de la micro-informatique. Si on en conjugue les propos avec le contenu de la lettre de Wigrum, tout porte à croire que ces récits pourraient être l'œuvre du Stepniac que dépeint Wigrum — grand amateur de science-fiction et de littérature procédurale, qui aurait réécrit l'œuvre de son père symbolique à partir de ses propres enthousiasmes de lecture ; les contes ont beau changer de visage, ils continuent de raconter la même histoire.

L'identité réelle de Stepniac, hélas, demeure aussi opaque que le pseudonyme d'un académicien de fabrication ou cette adresse électronique inconnue par laquelle il s'est d'abord manifesté à moi. Réactivant mes recherches sur le Web, je n'ai d'ailleurs trouvé, en tapant « Stepniac », qu'une référence : *timemachinefor:stepniac.* Une « timemachine » désigne une simulation mathématique qui se déploie le long d'une ligne du temps.

*

À ce stade, je ne pouvais que jurer fidélité à la fiction réciproque de Wigrum et de Stepniac. Ils ressemblent aux personnages qu'ils représentent aux yeux l'un de l'autre, et leurs croisements sont féconds. Le récit de la « Rosée sélénite », étrangement anachronique compte tenu de la disparition supposée de Wigrum en 1944 et de sa référence au programme spatial américain, initié dans les années cinquante, reproduit fidèlement celui qui figure dans la *Collection du miroir*. De même, les quelques doublets, d'une incontournable banalité — une montre de gousset, un compte-fils, un œuf de poule —, suggèrent que nos deux hommes, en quelque sorte, *se réécrivaient l'un l'autre*.

J'ai su, à force d'attentions cryptées, qu'il me revenait, à mon tour, de *les réécrire*. Soucieux de conserver un double de ces deux manuscrits, je les ai photocopiés, à cinq sous la page, sur les machines de la branche centrale de la New York Public Library. Inspiré par les conseils de mes professeurs de scénarisation, qui nous encourageaient à adresser des copies de nos textes à nous-mêmes, pour les conserver dans une enveloppe scellée, estampillée par la poste, et ainsi protéger nos droits en cas de litige, j'ai fait parvenir les deux manuscrits à l'adresse de mes parents, dans la banlieue industrielle de Lachine, près de Montréal. Habité par le souci constant de ne pas alourdir mes bagages, j'ai ensuite déposé les originaux dans un casier loué à Grand Central Terminal, à l'angle de la Public Library.

Lorsque j'ai voulu les récupérer, au moment de quitter New York, en juin 2000, ils s'étaient volatilisés. Un carton de correspondance signé LEROY STEIN, ESQ. portait un message cryptique, dans une écriture nerveuse, à la plume : « And if I can believe all the stories I am told, so can you. » On se rappellera que c'est le nom de Stein qui figurait sur le registre de la Bodleian Library, à Oxford, au moment où toutes les copies de *On the Souvenir as Art Object* disparurent de la circulation, en 1944.

Le carton était délicatement disposé en angle sur un autre tapuscrit, cette fois réalisé à la machine à écrire, sur du papier de format standard nord-américain. Il était intitulé L'INVENTAIRE DE LA SUCCESSION. Il s'agissait d'un index exhaustif des sources probables des récits de la collection. Le titre des œuvres y figurait, sans nom d'auteur. Cet index nous indique le chemin à suivre pour nous éloigner des fictions de la collection. Il nous rapproche de leurs racines réelles, en constituant une sorte de « bibliothèque idéale ». S'il existe véritablement, et n'est pas qu'un autre prête-nom, je lève mon chapeau métaphorique à monsieur Stein, voleur et vieillard des plus convaincus, égaré depuis 1944 dans la fiction des autres. Et s'il n'existe pas vraiment, je lève encore mon chapeau, cette fois à l'acteur.

*

À mon retour à Montréal, je retrouvai les manuscrits, en sécurité dans le refuge banlieusard de mes parents. Ils seraient de nouveau amendés par un envoi inédit. Au moment d'emménager dans un appartement de l'avenue du Parc, je reçus une lettre, datée du 29 octobre d'une année inconnue, en provenance du 41b, Regent's Lane, à Londres. Cette adresse est celle du Midsummer's Antiquarian Bookstore, autrefois occupé par Wigrum. Effacée du labyrinthe londonien, elle n'est ni plus ni moins réelle que toutes celles où nous ne pourrons jamais mettre le pied.

Cette nouvelle lettre était rédigée sur trois pages du biblique papier de l'aéropostale, duquel se dégageait encore un vague parfum floral. Elle était simplement signée Clara, ce nom qui si souvent revient sous la plume des collectionneurs. J'y lus un témoignage d'amour, que je dirais, encore une fois, adressé à personne.

Je les ai tous deux connus, sans trop savoir comment les aimer, ou si, vraiment, je les aimais. Vous me direz que je suis trop compliquée, mais je crois qu'il est aussi difficile de dresser un portrait fidèle des sentiments que de saisir l'image d'un homme invisible.

Ils se ressemblaient comme deux enfants qui ne savent plus de quel côté tourne le temps. Lui, mon voisin d'en face, l'ancestral reclus, revenu du monde entier, dont on ne savait jamais s'il était absent, présent, ne demandait rien d'autre qu'on l'approche pour nous déclarer son amitié éternelle. L'autre, ce jeune homme, apparu au pas de sa porte, son carnet à la main, l'échine déjà pliée par sa passion pour les livres, aussi apeuré par lui-même que par ce que le monde pouvait lui offrir. Ils étaient comme un père, comme un fils, mais ni assez forts ni assez faibles pour ne jouer que ces rôles. Ils n'étaient, enfin, personne d'autre qu'eux-mêmes. Ce qu'ils voulaient vraiment de moi, je ne l'ai jamais tout à fait su, et j'ai dû moi aussi l'inventer.

Permettez-moi une confidence, bien que je vous connaisse si peu. J'avais l'impression, même à cette époque, alors que j'étais aussi belle que je le serai, de n'avoir jamais su, en amour, tout à fait exister. J'ai épousé William parce qu'il le voulait tant, et qu'il savait faire sa fortune en sachant, plus que tout, ce qu'il voulait vraiment. Avant lui, je me complaisais à compter les occasions ratées, comme si je portais en moi un personnage plus vrai que moi-même et dont je recouvrirais l'absence — un être qui n'arrive pas à exister ni ne mérite tout à fait de le faire. Pourtant, ces choses-là, celles du cœur, je croyais que c'étaient les seules qu'il nous revenait véritablement de décider, nos uniques inventions.

Souvent, par ma fenêtre, je les voyais aller, venir, avec leurs paquets, leurs porte-documents, leurs costumes ordinaires d'espion, deux hommes qui croyaient porter en eux le secret du monde, et souhaitaient le murmurer à toutes les oreilles.

Ils s'assoyaient, à cœur de jour, à la table de Sebastian, pour considérer un objet, une trouvaille. Lui les dessinait, alors que l'autre parlait sans relâche. Puis Sebastian disparaissait dans l'arrière-boutique, pour ranger son nouveau secret dans quelque recoin inaccessible. Il aimait dire que ce qui tient dans le regard des objets peut bien s'effacer du monde, car l'existence se prolonge ailleurs qu'en nous seuls. William, parfois, se joignait à eux, et alors il riait, et il repartait brasser les affaires du vrai monde, se pencher sur les livres comptables, heureux d'avoir « écrit dans les marges », et alors je savais pouvoir l'aimer.

Longtemps après l'incendie, je m'éveillais en pleine nuit, et, les yeux à demi ouverts, sous la lumière des réverbères, je croyais les revoir, Sebastian, Joseph, William, parmi les ombres, entrant ou sortant de chez Sebastian, un obscur paquet ficelé sous le bras.

Je ne sais trop quel élan m'a poussée — j'ai toujours été très réservée — à traverser la rue à mon tour, à enjamber le cordon de sécurité et à passer à nouveau le pas de la porte de Sebastian. Est-ce que je m'attendais à le revoir, parmi les décombres de sa vie, comme un reflet échappé d'un miroir? Tout ce que j'ai trouvé, parmi les ruines de ce qu'il avait été, ce fut ce petit carnet noir, aux allures de passeport ou de chéquier, où lui et Stepniac se partageaient l'image du monde.

Je me demande, aujourd'hui qu'ils sont disparus, ce que nous avons été ensemble, et comment nous aurions pu être, encore, ensemble. On trouvera

toujours des raisons, et des moyens, de dire que nous
n'existons pas vraiment. J'espère, pour notre repos à
tous, qu'on saura me pardonner ce petit larcin.

Avec tout mon amour,
Clara

Cette lettre — dont le William ne peut être que ce
« millionaire cleptomane » évoqué par Stepniac — a
été emportée par l'inondation de l'été 2010. Elle était
accompagnée d'une carte postale décorée de l'image
du mont Rainier, montagne reine du nord-ouest des
États-Unis, qu'heureusement je conserve. Cette carte
porte à son revers un ultime récit, dans cette calligraphie déliée d'un autre temps. Vous en trouverez ici
le contenu, sous la rubrique « Page vierge », qui nous
ramène au début de toute cette histoire, et, métapho-
riquement, au début de *toutes les histoires*. Je vous
enjoins de relire en dernier ce récit, en souhaitant
qu'il vous incite à *recommencer à lire*.

*

De ma table de travail à Montréal, je crois pouvoir apercevoir, par la vitrine du Midsummer's

Antiquarian Bookstore, deux hommes qui se font face, autour d'une table. Voilà Stepniac, penché sur son carnet, en copiste attentionné, prêtant oreille et foi aux inventions de Wigrum. Lui part les ranger dans le capharnaüm de l'arrière-boutique. L'autre leur prête de nouveau forme entre les pages de son livre sans paroles. Quand il aura fini de recopier tous les objets, et de leur donner une vie seconde, il dessinera le carnet lui-même, qui se refermera sur sa propre image, et disparaîtra comme tout le reste, livré à l'effacement et à l'imitation.

Quant à moi, avec qui ils ont si souvent choisi de correspondre, j'ai de nouveau déménagé, et je guette encore les allées et venues du postier. Je ne sais pas si Wigrum, ou Stepniac, ou tous ceux qu'ils ont été, peuvent encore pister ma trace jusqu'ici. Mais parfois, quand je me retourne vers les objets qui m'entourent, je reconnais quelques fragments de la collection, comme si elle m'avait de tout temps accompagné. Si vous aussi découvrez que les objets qui encombrent votre table de travail ressemblent à ceux que Wigrum et Stepniac chérissaient tant, souvenez-vous de cette note, posée dans un casier de Grand Central Terminal, comme un rappel adressé à nous tous : *si je peux croire à toutes les histoires qui me sont contées, vous en êtes aussi capables.*

— Daniel CANTY
Montréal et Aubepierre-sur-Aube, 2011

Leroy Stein

L'INVENTAIRE DE LA SUCCESSION

Index

REMERCIEMENTS

Gregory Ronczewski a été mon premier compagnon d'invention et *Wigrum* n'aurait pas vu le jour sans sa complicité. Je remercie chaleureusement Steven Forth et Yoshie Hattori, fondateurs de DNA, et toute l'équipe du studio, où ce projet a été initié en 1997. Je salue également Carma Livingstone et Haig Armen, alors producteurs à CBC Radio 3, qui ont, dès 1999, fait revivre la collection sur le Web.

Leanne Nash a prononcé ensemble les noms de Wigrum et de Stepniac. Magdalena Kozicka et Ryszard Ronczewski, Marek Gronowski, Jola Potocki, Richard Eii, Marie Brassard et d'autres encore reconnaîtront, je l'espère, leur rôle discret dans cette aventure. Le rhinocéros d'origami est une création de Joseph Wu. Leah Wechsler m'a offert un des Loud Objects qu'elle fabrique avec le groupe du même nom. Michael Hayward m'a permis de reproduire sa lettre. Sébastien Adhikari m'a introduit au tesseract. Angela Pressburger m'a fait découvrir les films de son père, grand écrivain Technicolor.

Les vers de William Blake qui apparaissent dans le conte « Loupe d'élite » sont extraits de *Songs of Experience* (1794). La formule de Willhelm Broch est empruntée à William Burroughs.

J'ai réalisé les traductions de l'anglais, qui ont été revues par David Dalgleish. Les traducteurs des autres langues sont : Ida Börjel (suédois), Eva Cermanova (tchèque), David et Makiko Dalgleish (japonais), Tobias Gittes et Michela Prevedello (italien), Marie-Pierre Kruk (latin et grec ancien), Estela López Solís (espagnol), Eftychia Panayiotou (grec), Gregory Ronczewski (polonais), Chantal Wright (allemand) et Michael Yaroshevsky (russe). Mara Maxt (allemand) et Pavel Roder (tchèque) ont fourni certaines précisions. Simone Marchesi a revu l'italien. Dan Vyleta, l'allemand. Louise Ashcroft, Oana Avisillichioaei, Éric Blackburn, Isabelle Jubinville,

Susan Ouriou et Chantal Wright m'ont aiguillé vers certaines de ces ressources.

Nathalie Bachand, David Dalgleish, Isabelle Jubinville, Estela López Solís, Simon St-Onge et François Turcot ont lu et commenté le manuscrit. Éric de Larochellière, des éditions du Quartanier, a effectué un premier travail d'édition sur la *Collection du miroir,* la présentation de Joseph Stepniac et «Wigrum et Stepniac». Geneviève Gravel-Renaud et Pierrette Tostivint m'ont sauvé de mes égarements linguistiques.

Pierre Bongiovanni et Patrick Beaulieu m'ont invité à la Maison Laurentine, centre d'art discret d'Aubepierre-sur-Aube, en Haute-Marne (France), où j'ai pu peaufiner une version du manuscrit à l'été 2011.

Ce sont Raphaël Daudelin, Anouk Pennel et l'équipe du Studio Feed, mes infatigables complices dans l'art du livre, qui ont permis à la collection de trouver son incarnation idéale. Estela López Solís a su rendre, de sa main, les dessins de la collection. Ce livre doit aussi une part de sa forme au dialogue graphique entamé avec Gregory Ronczewski, puis Élise Cropsal.

Mes éditeurs, Mylène Bouchard et Simon Philippe Turcot, ont accueilli ce projet avec passion. C'est grâce à eux, et à l'insistance de Nathalie Bachand et de François Turcot, que ce livre existe à La Peuplade.

Je salue enfin Sebastian Wigrum, Joseph Stepniac, Leroy Stein et Clara, où qu'ils soient, et qui qu'ils puissent être. Toute ressemblance avec des personnes mortes ou vivantes, fictives ou réelles, est bien sûr plus que fortuite.

— Daniel CANTY

TABLE DES MATIÈRES

Wigrum

Wigrum est le vingt-septième titre publié par La Peuplade,
fondée en 2006 par Mylène Bouchard et Simon Philippe Turcot.

Un livre de Daniel Canty
D'après une idée de Daniel Canty et Gregory Ronczewski
Conception graphique et éditoriale :
Daniel Canty et Feed (La table des matières)
Dessins : Estela López Solís
Révision linguistique : Geneviève Gravel-Renaud
Révision anglaise : David Dalgleish
Correction d'épreuves : Pierrette Tostivint

Wigrum a été mis en pages en Minion,
une police de caractères conçue par Robert Slimbach en 1990,
et en Wigrum, dessinée par Raphaël Daudelin
du Studio Feed en 2011.

Achevé d'imprimer à l'automne 2011
sur les presses de Marquis à Cap-Saint-Ignace,
pour La Peuplade.